10 MINUTES POUR SOI

Françoise Réveillet

10 MINUTES POUR SOI

MARABOUT

Du même auteur

Secrets de beauté d'antan,
Flammarion, 2006

10 minutes de petits bonheurs,
Flammarion, 2007

1500 gestes et astuces pour se sentir bien chaque jour,
Prisma Presse/Femme actuelle, 2008

Vous pouvez contacter l'auteur en lui écrivant à l'adresse suivante :
petitbonheur@yahoo.fr

© Éditions Flammarion, Paris, 2005. Tous droits réservés.

Texte revu par l'auteur pour l'édition de poche.

Illustrations : Claire Dupoizat

Mise en page : Domino.

Sommaire

LE SOIR

QUAND ÇA VA MAL !

À FAIRE TOUT LE TEMPS

À FAIRE LE PLUS SOUVENT

LES SAISONS

Termes à connaître
avant de commencer

Acupuncture

On dénombre environ 1 000 points d'acupuncture répartis sur l'enveloppe cutanée du corps humain, dont près de 700 sont situés sur les méridiens (voir ce terme p. 11). En cas de trouble, le praticien introduit des aiguilles très fines dans certains points douloureux ou sensibles afin de rétablir la circulation et l'équilibre énergétique. Cette sensibilité est parfois ignorée du patient et se révèle à la pression du doigt sur cette zone.

Aromathérapie

Ou comment «se soigner autrement» avec des huiles essentielles obtenues par distillation et extraction de plantes aromatiques. On peut les utiliser par voie orale ou rectale ou sur le corps par le biais de massages, de bains ou de frictions. Ces huiles peuvent agir sur l'élimination des toxines, sur le stress, sur les troubles digestifs...

Ayurvéda

Bien plus qu'une médecine, l'ayurvéda est un système philosophique, intégrant biologie, psychologie, cosmologie et éthique. Vieux de plus de 5 000 ans et originaire d'Inde, il considère la personne comme un microcosme de l'Univers, lui-même composé de cinq éléments essentiels : l'air, l'eau, le feu, la terre et l'éther (ou espace). Nos maux proviendraient d'un déséquilibre entre ces éléments. Un médecin ayurvédique cherche tout d'abord à connaître ses patients en les questionnant sur leur histoire personnelle et familiale, leurs habitudes alimentaires, leur mode de vie... Les remèdes qu'il prescrit sont à base de massages et de décoctions complexes de végétaux et de minéraux, le tout associé parfois à une pratique du yoga ou de la méditation.

Chakras

Le mot *chakra* signifie «la roue» en sanscrit, langue indo-européenne. L'ensemble de notre énergie circule sous forme d'une fontaine qui emprunte des canaux (les *nadis*) centralisés dans des roues énergétiques, les chakras. À partir de ces centres d'énergie, la lumière blanche, composée des 7 couleurs qui correspondent à celles de l'arc-en-ciel (violet, indigo, bleu, vert, jaune, orange et rouge), est diffusée dans le corps. Leur ouverture et leur bon fonctionnement sont les clés qui permettent d'être en bonne santé, de maintenir l'harmonie en nous, en relation avec les énergies vitales du cosmos.

Cinq Éléments

La théorie chinoise des Cinq Éléments daterait du IIe millénaire avant notre ère. Les Cinq Éléments sont l'eau, le feu, le bois, le métal et la terre, que les Chinois font correspondre avec les cinq premiers nombres, lesquels ont des concordances avec le temps et l'espace. Par exemple, l'eau avec le bas, l'hiver, le nord. À chaque élément correspondent un animal, un végétal, un viscère, une couleur, une saveur, une plante, une note, des éléments corporels, des sentiments...

Cosmologie

C'est l'une des plus anciennes disciplines intellectuelles de l'humanité. Elle étudie les lois physiques qui régissent l'Univers, s'intéressant aux différentes parties qui le composent et, surtout, à leurs différentes interactions au sein du cosmos.

Digipuncture

Cette technique de massage énergétique, originaire de Chine, se fonde sur une expérience séculaire. Le praticien emploie ses deux mains pour masser certaines parties ou points du corps sur le trajet des méridiens de l'acupuncture (voir ces deux mots). Ce massage, à la fois curatif et préventif, combat le stress et soulage le corps.

Do-in

Auto-percussion et shiatsu que l'on pratique soi-même sur son corps, avec ses mains, sans l'aide d'un praticien. (Voir ce terme p. 12)

Énergie vitale

Qi (prononcez « shi ») en Chine, *ki* au Japon, *prana* en Inde, *pneuma* en Grèce, *spiritus* en latin : l'énergie vitale, invisible et partout présente, influe sur toutes les choses vivantes ou inertes. Elle est à la fois mentale, physique et spirituelle. Le corps humain est un système d'énergie dynamique en état de flux permanent.

Feng shui

Littéralement «vent et eau», l'art du feng shui permet à l'homme de vivre en harmonie avec son environnement extérieur : le vent, l'eau et le lieu de vie d'une personne influenceraient sa santé et son bien-être. D'après les grands penseurs taoïstes, la maison où il vit ainsi que le lieu où est construite son habitation agissent en effet sur l'homme, tandis que lui-même a une action tout aussi grande sur son habitat.

Horloge biologique

Nuit et jour, notre corps fonctionne de façon cyclique. Dans la journée alternent temps forts et temps faibles, tonus et «coups de pompe». Ces cycles se poursuivent au cours de la nuit autant de fois que notre organisme a besoin de récupérer. Quatre à cinq cycles de sommeil d'environ 1 h 30 à 2 heures se succèdent au cours de la nuit. Pour les Chinois, l'homme est en étroite union avec l'Univers et, de ce fait, vit dans le même mouvement. Chaque moment du jour, chaque période de 365 jours, les 12 mois de l'année, les 12 heures chinoises (24 heures occidentales) sont répartis en mouvements d'énergie auxquels l'homme est soumis et rythment sa vie.

Méridiens

Notre corps absorbe de l'énergie par différents moyens (nourriture, respiration, soleil...) et la distribue dans notre organisme par un système énergétique que nous appelons « méridiens » en Occident. Ils parcourent notre corps comme des rivières afin de l'approvisionner en énergie. Quand l'énergie circule, tout va bien, mais si des déséquilibres surviennent, nous fonctionnons en deçà de notre potentiel de bien-être. Il importe de maintenir un certain niveau de flux d'énergie en nous et autour de nous pour bien vivre.

Naturopathie

Cette médecine éternelle tire son nom de «nature» et de «pathos». Elle apprend aux individus à se soigner avec les aliments, les plantes, l'eau, les applications d'argile, les bains, les massages... issus ou inspirés de la nature.

Phytothérapie

C'est le traitement des maladies par les plantes. Celles-ci agissent sur l'organisme en fonction des substances ou principes actifs qu'elles contiennent. Leur utilisation dépend de l'usage que l'on veut en faire et du mode d'extraction des principes actifs (décoction, infusion, macération, teinture alcoolique…).

Qi gong

Le qi gong (se prononce «chi kong») signifie «travail de l'énergie». Cette gymnastique énergétique chinoise est un véritable art des postures, amenant, par des mouvements amples et fluides, à la fois un enracinement du corps au sol et son ouverture sur le monde. Copiant souvent des attitudes prises par les animaux, elle active le flux d'énergie dans le corps, ce qui permet de se maintenir en bonne santé et de se sentir mieux. Le qi gong allie la relaxation mentale, l'assouplissement corporel et le plaisir de se mouvoir en harmonie dans l'espace.

Réflexologie

Cette technique digitale chinoise travaille sur les différentes zones réflexes des pieds pour agir à distance sur chaque partie du corps (organe, viscère, squelette) *via* le système nerveux. Cette technique relaxe, mais aussi améliore la circulation du sang, débloque l'influx nerveux, donne de l'énergie ou apaise les organes en déficit d'équilibre. Elle s'exerce également à partir des mains et du visage ou des oreilles.

Reiki

Reiki veut dire «force de vie» en japonais. C'est une très ancienne pratique de guérison par l'imposition des mains datant de 2 500 ans, et redécouverte par le moine Mikao Usui au xixe siècle. Le massage énergétique reiki participe au rééquilibrage des différents aspects de l'homme, grâce à son processus d'harmonisation du corps et de l'esprit, de la vie extérieure et de la vie intérieure. Cette méthode naturelle de santé favorise la détente et permet de rétablir l'harmonie physique et psychique, d'accroître le bien-être, l'énergie et la conscience.

Shiatsu

Parfois décrite comme l'acupuncture sans aiguilles, cette technique japonaise de thérapie physique est exercée avec les doigts, les coudes, les genoux ou les pieds. Le shiatsu agit sur les points de pression de façon à rééquilibrer les énergies entre les différents points du corps. Cela permet de stimuler certains muscles ou organes ou de toucher l'énergie vitale dans les méridiens. Le massage shiatsu, à la fois très énergisant et apaisant, peut se pratiquer au travers des vêtements.

Sophrologie

Cette méthode a été créée par Alfonso Caycedo en 1960. La sophrologie s'exerce à un niveau de conscience particulier, entre veille et sommeil. La sophronisation est la technique pour accéder à ce niveau de conscience caractérisé par une grande réceptivité. On observe alors une production d'ondes alpha, une diminution de la tonicité des muscles et une baisse de la tension artérielle. La sophrologie permet de combattre le stress, de retrouver un bien-être physique et mental, favorisant ainsi l'équilibre corps-esprit.

Tai-chi-chuan

Créé par l'ermite taoïste Zhang Sanfeng au XIVe siècle, cet art martial se fonde sur la maîtrise de la respiration et des gestes. Le pratiquant se bat contre un adversaire imaginaire. Certains exercices peuvent aussi s'effectuer à deux. Souplesse et force intérieure président à cette pratique.

Taoïsme

« De la voie naquit un
D'un naquit deux
De deux naquit trois
Trois engendre les dix mille choses
Dix mille porte yin à dos, et yang en ses bras
Puisant harmonie à leurs souffles. »

Extrait du *Tao-tö-king,* de Lao-tseu.

Cela résume la pensée taoïste, qui considère l'être humain comme une accumulation de « matière » condensée, dont la cohésion est assurée par l'énergie vitale. Le taoïsme est à la base de tous les domaines d'études traditionnels chinois, de la phytothérapie en passant par l'acupuncture, la calligraphie, les arts martiaux, le tai-chi-chuan, les techniques de qi gong et bien sûr l'art du feng shui.

Yin et yang

La nature est, pour les Chinois, une source d'équilibre. Ils ont observé que leur vie sur Terre était rythmée par l'alternance du jour et de la nuit, des saisons, du froid et du chaud, de la vie et de la mort... Ils ont ainsi nommé cette harmonieuse succession et indissociable complémentarité «yin-yang», que l'on retrouve dans la nature et dans notre corps. L'un n'est pas mieux que l'autre. Tout est question d'équilibre entre ces deux pôles.

Yoga

Cette discipline originaire d'Inde existe depuis plus de 5 000 ans. Bien plus qu'une simple gymnastique, le yoga est une approche globale de la santé. Il signifie «réunir», «relier» en sanskrit. Cette technique de relaxation et de connaissance de soi porte en général sur la relaxation, la concentration, la respiration et les postures (appelées « asanas »).

Il existe plusieurs formes de yoga, mais toutes recherchent l'épanouissement, la connaissance de soi, le bien-être physique et psychologique, la sérénité. Il s'agit toujours d'un parcours individuel, selon ses propres capacités et en toute liberté. Le hatha-yoga est le yoga traditionnel le plus répandu en Occident (et souvent le plus accessible pour nous). Il insiste sur le travail corporel, principalement le travail de postures (dont la plus connue est la posture du lotus) et la respiration, sans jamais forcer ses limites.

Préface

« *Personne ne se soucie de bien vivre, mais
de vivre longtemps, alors que tous peuvent
se donner le bonheur de bien vivre, aucun de
vivre longtemps.* »
Sénèque

Que nous soyons épicurienne, laborieuse, célibataire, mère, femme au foyer, professionnelle active, grand-mère, jeune fille, amoureuse, épanouie... nous voulons tout réussir.

Cette ambition nous entraîne parfois à puiser dans nos réserves et à oublier que « l'essentiel n'est pas de vivre, mais de bien vivre », comme l'enseignait déjà Platon à ses disciples, il y a plus de 2 000 ans.

Être attentive à soi au quotidien évite d'être la proie de la fatigue et du stress et de transformer sa vie en cauchemar, dans une dérive qui parfois s'opère à son insu. Un changement professionnel, une rupture, le chagrin ou la colère de son enfant, une maladie... sont là pour rappeler la réalité d'une vie guidée par l'urgence, et bâtie sur l'espoir d'un avenir meilleur... Alors qu'il suffit d'un geste, d'une attitude, d'une pensée, d'un regard différent pour retrouver le plaisir de vivre ici et maintenant.

Je dédie ce livre à celles (et aussi à ceux) qui veulent améliorer leur vie au quotidien, sans révolution, et qui aspirent à avoir à leur portée certaines astuces qui les remettent en selle en quelques minutes dans n'importe quelle circonstance. Je m'adresse tout particulièrement aux femmes qui se préoccupent davantage de leur bien-être et de celui de leur entourage.

Mais sachez qu'il n'y a aucune exclusion, ce livre est pour tout le monde ! Ces conseils variés, simples, issus de diverses cultures et d'un certain « bon sens », n'ont pas la prétention d'être exhaustifs ni de traiter les questions fondamentales du bien-être et de la santé. Le propos n'est pas non plus de flécher votre vie ou de vous faire un programme clés en main, mais plutôt de vous aider à trouver ces petits bonheurs en vous.

Allez, 10 minutes, c'est si peu ! Juste une parenthèse dans une journée bien remplie. Pensez-y, et vous serez surprise de découvrir combien ces attentions quotidiennes provoquent d'agréables changements dans votre journée et progressivement dans votre vie!

Comment lire cet ouvrage ?

Ce livre est conçu comme un guide pratique répertoriant des conseils en fonction des moments de votre journée ou des circonstances de votre vie quotidienne. Les trois premiers chapitres sont consacrés à ce qu'il est bon de pratiquer le matin, durant la journée et le soir. Le quatrième chapitre, en réponse à ces petits maux bénins qui viennent parfois troubler nos journées, vous apporte des recettes toutes simples pour les traiter vous-même.

Viennent ensuite, dans le chapitre « Pensons-y », des suggestions pour aborder sereinement les circonstances de votre vie, le week-end, en vacances, en voyage, avant de sortir... J'aborde dans les chapitres « À faire tout le temps » et « À faire le plus souvent » ce qu'il faut mettre en œuvre dans notre vie quotidienne pour faire émerger et maintenir ce mieux-être que nous recherchons toutes. Enfin, le dernier chapitre s'adresse à celles qui veulent trouver des solutions plus spécifiquement liées aux saisons.

Laissez-vous guider par votre personnalité, votre état physique et psychologique, vos envies, vos besoins, vos rejets aussi... Ne soyez pas trop gourmande! Il faut essayer, à votre tempo, plusieurs techniques, avancer en tâtonnant, chercher, sans vous obliger à suivre une chronologie, afin de trouver au fil du temps et de vos expérimentations ce qui vous convient le mieux. Et surtout, prenez du plaisir à partager ensuite ce nouvel art de vivre avec votre entourage, votre mari, vos enfants, vos amis, vos parents...

Je ne dirai jamais assez que ces conseils, présentés sous forme de techniques, d'exercices, d'auto-massages ou encore de recettes alimentaires, contribuent à soulager certains désagréments ou petits maux de la vie de tous les jours, mais ne doivent jamais remplacer à l'avis d'un médecin. Mon ouvrage n'est pas un guide médical. Il est destiné aux personnes adultes en bonne santé et ne s'adresse en aucun cas aux personnes malades ou très fatiguées, aux enfants, aux femmes enceintes ou en période postnatale.

Avant-propos

> *« Hâte-toi de bien vivre et songe que chaque*
> *jour est à lui seul une vie. »*
> Sénèque, *Lettres à Lucilius*

Ici et maintenant

Raymond Queneau, dans son livre *Exercices de style*, raconte une histoire anodine dans 99 styles différents. Cet hymne à la créativité est pour moi une invitation à faire jaillir nos multiples potentialités, qu'elles soient physiques, mentales ou émotionnelles... Il en va de la « forme » comme du style, et nous pouvons ainsi varier à l'infini nos attentions quotidiennes pour être mieux dans notre corps, dans nos affects et dans notre tête.

Ce mieux-être découle de l'harmonie entre notre corps et notre esprit. Dans ce moment « pour soi », nous prenons conscience de notre « corporalité ». Nous apprenons à être présente à nos gestes, à intensifier la perception de notre corps : nos pieds, nos jambes, nos bras, nos mains, nos doigts, notre ventre, notre poitrine, notre tête... et à réactiver l'énergie qui circule en nous. Nous sommes, ici et maintenant, plus attentives à notre intériorité, au positif dont nous disposons dans cette affirmation de la vie, à notre présence dans l'espace et parmi les autres. Car nous participons au présent du Monde !

À la recherche d'un « mieux-être »

Cette quête s'inscrit dans le plaisir et la régularité. C'est en réitérant cette attention pour soi, jour après jour, que nous éprouvons de la satisfaction et en ressentons progressivement les bienfaits.

Lors de ma précédente expérience de manager dans la presse, à la fois prenante et stressante, j'ai tout essayé pour mieux vivre chacune de mes journées ! J'ai recherché, expérimenté des techniques de relaxation, effectué des massages, lu des tonnes d'ouvrages dans les domaines divers et variés de la pensée positive, de la psychologie, des pratiques et médecines orientales... Mais la difficulté était d'inscrire ces démarches dans un cadre régulier.

Car il s'agit bien de cela. Nous connaissons en général beaucoup de choses sur le bien-être, mais nous n'arrivons pas à les mettre en pratique. Nous savons bien qu'en allant nous faire masser pendant une heure, nous serons détendues. Mais le hic, c'est que nos emplois du temps compressés nous l'interdisent. Le simple fait de prendre un rendez-vous, de s'y rendre, de se faire masser, eh bien, tout cela c'est du temps volé sur nos obligations familiales, domestiques, professionnelles... et autres ! Combien de fois ai-je dû reporter ou annuler à la dernière minute, à cause d'une réunion interminable, d'une poussée de fièvre subite de l'une de mes filles, d'un rendez-vous décalé, une séance de drainage lymphatique ou de shiatsu, un cours de rock, un soin du visage... ou me suis-je mise dans un état de stress maximum pour arriver à caser ce rendez-vous personnel dans une journée déjà remplie ? Et pourtant la motivation était là !

Changement de cap

À la suite d'un changement de vie professionnelle, j'ai voulu prendre le temps de la réflexion sur le sens que je voulais donner à ma vie d'aujourd'hui. J'ai donc décidé de changer de métier, sans précipitation, en me formant au conseil en ressources humaines afin de pouvoir mettre mon expérience, mes compétences et ces nouvelles connaissances au service des autres. Ce souhait, je l'avais en moi depuis plus de dix ans et je n'avais pu l'inclure dans mon programme de vie professionnelle.

L'opportunité d'écrire ce livre est le deuxième cadeau de ma nouvelle vie. La thématique m'enthousiasmait et faisait écho à ma philosophie de vie. J'allais disposer de temps pour rechercher ce qui pouvait bien faciliter nos journées, rencontrer des spécialistes et recueillir leurs «recettes», retrouver les secrets de nos grands-mères, approfondir certaines techniques et en pratiquer de nouvelles, lire ou relire de nombreux ouvrages, réunir des témoignages de femmes de tous âges, de tous milieux, et aussi les essayer avant de vous les proposer... Ces investigations m'ont permis de dégager de cette innombrable matière des suggestions et des pratiques brèves et adaptées à nos vies de femmes actuelles.

10 minutes pour être mieux...

Être mieux dans sa vie quotidienne relève de la combinaison harmonieuse d'une alimentation correcte, naturelle et équilibrée, de la pratique régulière d'exercices physiques, d'un bon sommeil et de la sérénité du cœur, de l'esprit et de l'âme. Vaste programme – me direz-vous – qui commence aujourd'hui et qui, se répétant chaque jour, fera renaître en vous cette énergie si propice à la joie de vivre.

RECOMMANDATIONS ET CONTRE-INDICATIONS À LA PRATIQUE DES TECHNIQUES ET MASSAGES DE CET OUVRAGE

Recommandations

→ Installez-vous dans un endroit calme, confortable et si possible spacieux.

→ Soyez totalement présente à vous, à l'écoute de votre besoin du moment, de votre ressenti, de votre désir d'être bien.

→ Créez une atmosphère reposante avec une musique d'ambiance douce pour la relaxation.

→ Aérez votre lieu de vie et en particulier l'endroit choisi pour vous ressourcer.

→ Évitez le bruit en mettant le répondeur ou en débranchant le téléphone. Arrêtez la radio, coupez la télévision et autres sources de nuisances sonores.

→ Oubliez votre montre quelques minutes. Ne soyez pas obnubilée par l'heure. Fiez-vous plutôt à votre propre intuition.

→ Pour la plupart des exercices proposés dans cet ouvrage, la lenteur est recommandée.

→ Travaillez sans forcer, dans la conscience de chaque mouvement, afin de trouver l'harmonie entre l'intérieur et l'extérieur de votre corps.

→ La bienveillance à l'égard de soi est primordiale pour se détendre. Ayez de l'indulgence vis-à-vis de vous-même en vous contentant de ce que vous faites, même si vous avez le sentiment d'avoir «raté» une partie de la technique ou de ne pas avoir ressenti immédiatement l'effet recherché. L'essentiel est d'essayer et de vous donner le temps d'incorporer les choses.

→ Il n'y a que la répétition qui «paye». Soyez patiente, les résultats arriveront en temps et en heure. Ce moment à vous est à détacher complètement de la performance. On dit qu'il faut 21 jours pour intégrer une nouvelle habitude. Essayez de respecter ce délai avant de décider d'abandonner...

→ Avant de faire un exercice, prenez le temps de le mémoriser pour l'exécuter naturellement sans trop solliciter votre mental.

→ Évitez de faire les exercices pendant la digestion.

Contre-indications

→ Toutes les techniques et pratiques exposées dans cet ouvrage n'ont pour but que de vous guider. Ce sont seulement des « coups de pouce » pour relancer votre énergie, vous relaxer ou résoudre de petits problèmes courants et superficiels que nous connaissons toutes face aux pressions extérieures. Ils ne doivent en aucun cas se substituer aux conseils de votre médecin.

→ Ces conseils ne s'adressent pas non plus aux personnes souffrant d'une maladie, d'affections fébriles ou douloureuses, de fatigue excessive.

→ Ces techniques sont également contre-indiquées pendant la période de grossesse et pendant la période postnatale.

Au réveil

Écrire ses rêves

De nombreux mystères entourent le sommeil et les rêves qui s'y rattachent. Nous ne comptons plus le nombre de théories avancées sur la nature des rêves. Il y a quelques millénaires, les rêves étaient considérés comme des prémonitions, un présage des dieux... Nous savons aujourd'hui qu'ils ont une fonction prospective, mais aussi compensatrice. Selon Freud et les psychanalystes, leur rôle majeur est qu'ils nous révèlent notre inconscient. Ils produisent des métaphores à partir desquelles nous pouvons réfléchir sur nous-mêmes.

Notre inconscient à l'œuvre

Nos rêves produisent une véritable mise en scène de nos désirs, de nos complexes, de nos refoulements. Freud affirmait que le rêve mettait en scène un désir libéré grâce au relâchement de notre censure personnelle. « Ils sont la voie royale pour l'inconscient. » À partir de ce que les rêves nous inspirent, il est intéressant de faire des liens avec nos ressentis pour leur donner un sens.

Chercher l'énigme

Cependant, l'interprétation des rêves reste un exercice très difficile pour lequel l'aide d'un psychanalyste est en partie nécessaire. Pour en comprendre le sens, vous pouvez déjà tenter de retenir vos rêves lorsque vous vous réveillez. « À quoi me fait penser cette vieille femme sévère, ce lion rugissant, cette situation burlesque... ? » Les associations que vous ferez alors peuvent vous éclairer sur vos désirs ou vos émotions.

Savourer encore quelques secondes !

Réveillons-nous d'une manière douce, tranquille, sans choc, afin que la conscience réveille le corps doucement, lentement. Si on cherche sans agitation, en restant complètement immobile, le climat intérieur de ce que l'on a vécu en rêve, les mots, les personnes, le rêve devient alors net et clair.

On peut même prolonger un rêve très agréable pendant quelques secondes encore, afin de savourer une situation dans laquelle on se sent bien, s'attarder sur des couleurs, des odeurs, une ambiance, une personne que l'on aime... Et, pourquoi pas, continuer l'histoire à sa façon !

Un carnet sur votre table de nuit

Dès que l'on ouvre l'œil, il est astucieux d'avoir à portée de la main, sur sa table de nuit, un carnet et un stylo pour écrire immédiatement son rêve, avant qu'il ne s'efface ! Un petit enregistreur fera aussi l'affaire pour celles qui préfèrent la parole à l'écriture.

Un réveil tout en douceur

Se réveiller 10 minutes plus tôt !

Chaque matin, quand le réveil sonne, c'est une course contre la montre qui s'amorce malgré soi. On effectue souvent des gestes « automatiques » et on se met déjà en état de stress avant même d'avoir pris soin de soi. C'est dommage, car bien commencer sa matinée, c'est s'assurer une journée plus agréable. Faites sonner votre réveil plus tôt pour débuter cette journée en douceur. Plutôt qu'une sonnerie désagréable, branchez-vous sur une radio que vous aimez : infos, musique classique ou votre chanteur préféré... Ou mieux encore, réveillez-vous sans réveil, à l'écoute de votre horloge biologique interne que vous aurez programmée la veille avant de vous endormir.

Un réveil tendresse

Embrasser tendrement son compagnon, faire un câlin à ses enfants, caresser son chat, formuler une pensée d'amour à un être cher... voilà une merveilleuse façon de s'ouvrir à une nouvelle journée.

Dans votre lit, étirez-vous comme un chat.
Étirez doucement tous vos membres, vos bras, vos jambes, votre tête, vos pieds, vos mains en bâillant le plus possible. Vos muscles se réveillent progressivement et se mettent en marche sans trop de brutalité.

Être à l'écoute de ses sens dès le réveil

Comme il est bon de prendre conscience de la position de son corps dans le lit, de se sentir «être»! Soyez à l'écoute de vos sensations et de vos gestes : le drap sur la peau, l'odeur de votre oreiller, la main qui retire le drap, les muscles qui s'étirent...

On dit que chez les gens heureux l'énergie vitale circule plus vite !

Selon les anciens Taoïstes, nos émotions négatives viennent se nicher dans nos organes. Un sourire prodigué à ces derniers permet de transformer ces émotions négatives en émotions positives et de détendre notre organisme. Quand nous établissons un contact bienveillant avec nos organes, nous prenons soin de notre santé.

En position allongée ou assise, prenez tout d'abord conscience de vos organes en fermant les yeux, puis souriez en pensant à un moment heureux ou à une personne que vous chérissez. Emplissez votre sourire d'un rayon d'énergie et déplacez-le sur chaque organe de la tête aux pieds : cerveau, cœur, poumons, foie, vésicule biliaire, pancréas, rate, reins, estomac, intestin grêle, colon, organes sexuels (utérus, ovaires).

Cette énergie souriante va stimuler vos organes. Remerciez-les de bien fonctionner et de vous permettre de vivre.

Partir du bon pied
Fléchissez fortement les orteils en les rapprochant les uns des autres, relevez-les ensuite en les écartant. Couchée sur votre lit, les pieds dans le vide, faites des rotations de la cheville, des flexions, en rapprochant les orteils de la cheville et inversement. Après cet exercice de souplesse, si vous disposez de quelques minutes supplémentaires, marchez pieds nus sur la pointe et sur le bord externe des pieds pour renforcer la voûte plantaire. Et ne croyez pas que reposer ses pieds consiste à marcher avec des chaussures avachies ou des pantoufles. Le pied peut en effet prendre une mauvaise position !

Se lever avec délicatesse

Sur le côté, pliez et remontez vos jambes vers votre poitrine et asseyez-vous sur le bord du lit à l'aide d'un bras afin de ménager votre dos.

Façonner ses premières pensées

Remercier la Vie et toutes les personnes que l'on aime.

J'essaie de commencer chaque journée en remerciant la Vie, le Créateur, la Nature. Je remercie aussi mes enfants, mon compagnon, mes parents, ma famille, mes amis, les personnes avec lesquelles je travaille... Ma reconnaissance s'élargit d'ailleurs à de nombreux domaines.

Depuis que je pratique cette prière – le plus souvent dans la nature –, il m'est difficile d'être de mauvaise humeur. Je ressens alors une grande bouffée de fraîcheur pour la journée qui se profile. Ces pensées d'amour chassent ou en tout cas atténuent les ressentiments, les agacements de la veille ou les craintes qui m'assaillaient auparavant dès le réveil.

Une parole d'amour pour débuter la journée le cœur léger

Cela va toujours mieux quand on dit les choses ! Il ne suffit pas d'aimer. Dire son amour, exprimer un compliment sincère ou reconnaître une qualité que l'on apprécie chez l'autre, cela fait toujours plaisir à celui qui en est le destinataire. Une chose est certaine, nous ne le faisons jamais assez !

Dès que nous commençons à exprimer nos sentiments, notre admiration à nos proches, un nouveau climat de générosité spontanée se crée et fait boule de neige. Les effets se multiplient à la maison mais aussi à l'extérieur. Adresser un compliment à un ami, à la caissière d'un grand magasin, à la gardienne de notre immeuble, cela transforme nos journées !

Cultiver l'optimisme

Pratiquer le sourire intérieur devant son miroir

Rien de tel que le sourire pour stimuler notre moral, défier une humeur chagrine ou braver une journée aux couleurs maussades. Devant le miroir de votre salle de bains, regardez-vous avec bienveillance et esquissez un sourire en pensant à une situation agréable ou à une personne qui vous est chère. Conservez ce sourire jusqu'à ce que vos pensées négatives s'éloignent et qu'un apaisement intérieur s'installe en vous. Puis fermez les yeux et profitez plus amplement de cette onde de détente. Quand on sourit, on se fait du bien et on reçoit des sourires en retour !

Entraîner quotidiennement son optimisme

Ne commencez pas vos journées en ressassant vos problèmes.

Première pensée, premier sourire à la journée qui commence ! Débuter la journée par une pensée qui va influencer favorablement son déroulement est une habitude que je pratique depuis longtemps. Cela me met dans une disposition intérieure de sérénité. C'est ainsi que j'entraîne mon moral et cela me permet d'apprécier les bonnes choses de la vie, que le soleil brille ou non !

Dès le réveil, se réjouir de ce que l'on vit, de la présence des êtres chers autour de soi, de son chat, de son chien, d'un ciel bleu, d'un rayon de soleil, ou du simple plaisir d'être là, vivante, en bonne santé, permet de bien démarrer la journée et de donner de l'intensité à ce que nous vivons ici et maintenant. Le bonheur d'être là tout simplement.

Christian Lacroix, créateur de mode, dans une interview au magazine *Muze*, exprime ainsi cette disposition d'ouverture à l'imprévu que lui offre une nouvelle journée : « J'aime le matin. J'aime me demander ce qui va surgir de la journée. Qu'est-ce qui va m'arriver ? »

Des phrases positives dans votre vocabulaire

Nous le savons, les pensées négatives cachent des émotions, des besoins refoulés et des frustrations. Cessez de vous lamenter et empêchez toute critique de sortir de votre bouche. Décidez pour cette journée qui commence de mettre votre langage au diapason de votre sourire. Une journée sans prononcer des « je n'y arriverai pas – cela ne sert à rien – à quoi bon – rien ne me va, j'ai grossi – je ne suis pas créative – c'est trop tard – à mon âge », etc. De même, apprenez à faire des phrases positives lorsque vous vous adressez aux autres : « Que veux-tu ? » au lieu de « Tu ne veux pas... ». Cela vous aidera à formuler vos demandes plus clairement.

Dites-vous que « non, ce n'est pas une journée nulle qui commence », au contraire ! Puisez dans le souvenir d'une journée réussie et gaie et essayez de débuter celle d'aujourd'hui comme celle qui vous a procuré tant de plaisir.

LA MÉTHODE COUÉ A DU BON !

Qui est Émile Coué (1857-1926) ?

▶ Pharmacien, Émile Coué tenait une officine à Troyes. Quand il vendait ses médicaments, il disait à ses clients : « Vous allez voir, vous irez beaucoup mieux » ou encore : « Vous verrez, ce n'est qu'un début, vous irez de mieux en mieux. » Il s'est aperçu que ses bonnes paroles en décuplaient l'efficacité. Il découvrit ce que nous appelons aujourd'hui l'« effet placebo », c'est-à-dire l'effet d'un médicament sans principe actif.
Sa méthode s'appuie sur les conclusions d'une expérience de vingt ans de pratique.

▶ Selon lui, toute maladie peut céder à l'autosuggestion. C'est un instrument que « nous portons en nous à la naissance et avec lequel nous jouons inconsciemment toute notre vie comme un bébé joue avec un hochet ».
Il a appris aux gens à pratiquer l'autosuggestion consciente.

▶ Il conseillait ainsi, chaque matin au réveil et chaque soir aussitôt au lit, de fermer les yeux et, sans chercher à fixer son attention sur ce que l'on dit, de prononcer à voix suffisamment haute et en comptant sur une cordelette munie de vingt nœuds la phrase suivante : « Tous les jours à tous points de vue, je vais de mieux en mieux. »

« À tous points de vue » évite de faire des autosuggestions particulières.

C'est, bien sûr, la répétition qui porte ses fruits.

Commencer la journée
par un verre d'eau

À jeun, prenez un premier verre d'eau pour nettoyer votre organisme ! Préférez un verre d'eau tiède pour chauffer votre corps ainsi que votre cœur, et réveiller votre énergie.

Pensez à bien vous hydrater chaque jour. L'eau représente plus de deux tiers de notre corps. Elle est présente dans chaque cellule : dans le cerveau, les muscles, la peau, les os. Dans la lymphe aussi, qui transporte les déchets cellulaires vers la sortie. Il est important de remplacer cette eau au fur et à mesure qu'elle s'évacue.

L'eau, véritable trésor pour notre santé, participe aux apports énergétiques en oligo-éléments. Elle permet une bonne assimilation des aliments. Elle favorise les échanges gazeux, elle oxygène et nourrit les multiples filaments dont les muscles sont constitués. Elle hydrate les pores de la peau, l'assouplit et lui permet de mieux purifier l'ensemble du corps. L'eau est aussi un régulateur thermique... Au risque de vous lasser, il serait difficile d'énumérer toutes ses vertus car elles sont nombreuses. Retenez l'essentiel : il faut boire chaque jour !

Quelques précautions à prendre

– Buvez lentement, dans un verre afin d'avoir des gorgées plus amples qu'avec un goulot de bouteille. Par ailleurs, je vous déconseille de boire à la bouteille, car au contact de votre bouche, les bactéries se développent dans la bouteille et polluent votre eau. Si vous n'avez pas d'autre solution, jetez votre eau au bout de 8 heures, car celle-ci sera alors totalement contaminée.

– Buvez une eau à température ambiante, beaucoup plus digeste que l'eau glacée, car cette dernière provoque des spasmes des muqueuses et de la couche musculeuse de l'estomac. Cette vasoconstriction détériore le système digestif et perturbe les fonctions de l'estomac.

Premiers mouvements avant le petit déjeuner

Chouchouter son énergie vitale dès les premières minutes

Ne gâchez pas ces premières minutes si précieuses par trop de précipitation. Passer en douceur du sommeil au réveil stimule votre énergie vitale. Ces premières attentions à vous-même et à votre environnement vont influencer le cours de votre journée. C'est pourquoi il importe d'installer dès votre réveil votre propre tempo sans vouloir à tout prix répondre au rythme du matin. Libérer votre respiration par des exercices et des techniques respiratoires – dans votre lit ou au sortir du lit – permet d'agrandir votre espace intérieur. Pour les Orientaux, la respiration ne se limite pas à un simple approvisionnement en oxygène, elle se comprend comme le souffle de vie qui nous relie à notre environnement, à l'Univers, et influe sur notre santé.

Je vous recommande de faire les exercices suivants de préférence avant de prendre votre petit déjeuner, afin de ne pas mélanger l'énergie alimentaire et l'énergie respiratoire. Ainsi, vous pourrez plus facilement vous connecter à vous-même et à l'énergie cosmique dans ce passage très subtil du monde inconscient à la réalité du matin. Les exercices physiques effectués après le premier repas vous feront en revanche travailler sur vos muscles, sur l'assouplissement de vos articulations, sur le modelage de votre corps dans une perspective de forme et de bien-être physique.

RETROUVONS NOTRE RESPIRATION ABDOMINALE ORIGINELLE

Ce chapitre est fondamental, car une bonne respiration est la base de tous les exercices et techniques proposés dans la suite de ce livre pour tonifier votre organisme ou vous détendre.

Respirer profondément pour drainer son organisme et stimuler ses forces vitales

▶ La respiration, fonction vitale de l'organisme, permet à toutes nos cellules de recevoir de l'oxygène et d'éliminer le gaz carbonique. Rien de plus naturel que de respirer. D'ailleurs, nous inspirons et expirons plusieurs milliers de fois par jour. Cependant, sous l'effet du stress, notre respiration se modifie. Elle devient moins profonde, plus saccadée, plus étriquée. C'est ainsi que nous adoptons peu à peu une respiration en « service minimum », une respiration courte et superficielle qui génère tension et nervosité.

La bonne respiration, lente et profonde, agit au contraire comme un « véritable aspirateur » en éliminant toute trace de toxines de notre système sanguin. Ses vertus de purification sont bien supérieures à ce que nous obtenons en buvant de l'eau pour drainer notre corps ou en transpirant lorsque nous faisons de l'exercice. Elle améliore le fonctionnement du cœur, du cerveau et de nos muscles et effectue un véritable massage des organes digestifs, facilitant ainsi l'assimilation des aliments. Outre ses effets positifs sur la santé, elle nous aide à mieux gérer notre mental et nos émotions. Il est donc important que nous apprenions à mieux respirer pour améliorer notre détente.

Pour cela, nous devons retrouver la respiration profonde abdominale que nous pratiquions naturellement lorsque nous étions bébés, inspirant et expirant par le nez jusqu'à l'âge de deux ans environ. Ou que nous accomplissons lorsque nous sommes parfaitement détendues ou en plein sommeil. Une respiration saine prend son origine dans l'abdomen.

Que se passe-t-il quand nous respirons à fond ?

▶ Quand nous inspirons, la cage thoracique s'ouvre. Voyez-la comme un soufflet qui travaille. C'est l'ouverture de la cage thoracique qui pompe l'air, le nez étant peu actif. Lié à la cage thoracique, le diaphragme, muscle respirateur, descend au moment où la cage thoracique s'ouvre. Le ventre s'arrondit à la poussée du diaphragme. Lorsque vous expirez, le diaphragme remonte. Plus le mouvement du diaphragme est ample, plus les bienfaits de la respiration se font sentir. Il importe de bien ressentir cette descente du diaphragme lorsque vous remplissez d'air votre ventre. Quand il est descendu, votre cage thoracique se dilate. C'est ce bâillement de la cage thoracique qui va permettre une bonne respiration. Vous l'avez compris, il ne s'agit pas de forcer les mouvements. Ce mécanisme d'inspiration et d'expiration doit se faire en douceur et dans la lenteur. Ce n'est pas un travail musculaire, mais un travail de conscience détendue.

LA RESPIRATION ABDOMINALE BASIQUE

Être pleinement à l'écoute de soi-même

En position allongée, assise ou debout, selon votre souhait. Pour ma part, je préfère la position debout le matin, parce qu'elle correspond aux conditions naturelles de la bipédie normale et favorise le ressenti des mouvements du diaphragme. La position allongée me paraît plus adaptée en fin de journée pour une bonne relaxation.

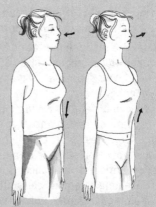

Accordez autant d'importance

À la conscientisation de l'inspiration qu'à celle de l'expiration.

Pour obtenir cet équilibre,

Vous pouvez, dans un premier temps, chronométrer le temps de l'inspiration et celui de l'expiration, que nous avons en général tendance à privilégier.

Commencez par inspirer par le nez

Sur 3 temps et expirez par le nez de préférence ou par la bouche sur 3 temps. Puis progressivement augmentez les temps à 4, 5, 6, jusqu'à 10 environ, selon vos possibilités. À faire une dizaine de fois le matin.

La respiration alternée par le nez
➜ Cette respiration se pratique en se bouchant alternativement les deux narines, le matin, pour vous dynamiser. Selon les yogis, la narine droite correspond à la respiration masculine, solaire, tonifiante. La narine gauche, féminine, lunaire et relaxante, réchauffe et humidifie l'air.

→ Avant de prendre votre petit déjeuner, installez-vous dans un lieu calme et aéré pour effectuer 10 à 15 respirations par le nez. Inspirez calmement par une narine et expirez par la même narine.

→ Soyez attentive au mouvement de votre diaphragme et gonflez bien le ventre. Puis agissez de la même façon avec l'autre narine.

Enfin, inspirez et expirez lentement avec vos deux narines.
Ça réveille !

→ **Bon à savoir**
Pour gagner en dynamisme, allongez votre phase d'inspiration. Pour trouver la détente, prolongez la phase d'expiration.

Comprendre la logique de la respiration pour faire le minimum d'effort !

Coupler la respiration avec un acte peut sembler bizarre ! Et pourtant, « quand nous relions notre respiration à l'acte, nous obtenons un résultat sans fournir d'effort », souligne Georges Charles, professeur de qi gong.

Chaque mouvement est accompagné d'un « yin » et d'un « yang ». L'inspiration, de tendance yin, correspond à tout ce qui va aller vers l'intérieur. C'est par exemple s'ouvrir, se relever, monter, aller vers, s'ouvrir à, se préparer à, lever un bras...

Et l'expiration, de tendance yang, correspond à ce qui va à l'extérieur, par exemple refermer, descendre, se baisser, s'asseoir, se pencher, fermer, agir... Ainsi, quand nous inspirons, nous agissons vers l'intérieur. En expirant, nous agissons vers l'extérieur.

L'utilisation de mouvements contraires entraîne beaucoup de fatigue. Quand nous avons compris que l'action de « se baisser et lacer ses chaussures » correspond à la phase expir et que « se relever », c'est l'inspir, nos mouvements s'effectuent sans peine. Si, au contraire, nous nous baissons en inspirant, nous allons progressivement nous épuiser. Cela peut même provoquer de l'énervement, et si notre état physique est momentanément fragile, entraîner une dorsalgie, voire blesser notre plexus...

S'ouvrir à la vie grâce au qi gong

Se connecter à soi-même

Ralentir, prendre son temps et sa place dans la pièce où l'on se trouve, dans son environnement, tels sont les attributs du qi gong. Ce

« travail de l'énergie » prend la forme de mouvements très lents et très souples, supports de la respiration, afin d'ouvrir son corps à l'énergie vitale, de le tonifier et de développer sa vitalité. Il s'agit de trouver un accord entre l'inspiration et l'expiration. Avec ce mouvement, nous nous ouvrons à la vie.

Une technique à votre portée
En préparant ce livre, j'ai interviewé Georges Charles, professeur de qi gong, qui m'a montré cette posture très simple.

➜ **Position de départ** : debout, les jambes légèrement fléchies et écartées de la largeur des hanches, la colonne vertébrale droite, la tête dans l'alignement, les articulations souples.

➜ **Mouvement** : on inspire par le nez, en accompagnant cette inspiration d'un mouvement d'expansion en élevant les bras au ciel et en les ouvrant. On soulève les talons dans ce mouvement d'ouverture.
En expirant par le nez ou par la bouche, les bras redescendent et se posent le long du corps. Les pieds sont posés à plat et les orteils soulevés.
Ce mouvement s'effectue dans la lenteur et avec beaucoup de souplesse. Recommencez plusieurs fois.

Par sa nature, le qi gong nous ouvre au monde

En le pratiquant, vous captez l'énergie de la Terre et du ciel, comme si vous étiez portée par le flot des énergies. C'est incroyablement énergisant. Le qi gong permet de se dire plusieurs fois par jour que la nature est à la portée de la main car à la portée de notre pensée. « Les obstacles ne sont qu'apparents, la nature n'est plus étrangère. Les gens ont l'impression qu'ils en sont coupés, notamment dans les grandes villes. Imaginons la pensée enveloppante de notre mère ; il suffit d'y penser pour qu'elle soit présente », souligne Yves Réquéna, professeur de qi gong. Loin d'être aussi aride que la méditation, cette technique chinoise reste très puissante et plus facile à mettre en œuvre.

FAISONS NOTRE SALUTATION AU SOLEIL

La salutation au Soleil comporte un enchaînement de 12 postures de yoga ressemblant à un petit ballet. Ces mouvements très favorables à l'harmonie de la musculature et au réveil de notre énergie vitale sont accessibles à toutes et réalisables en quelques minutes à peine. Il s'agit en premier lieu de bien mémoriser les 12 étapes et de les exécuter en continu. C'est un exercice complet que l'on peut pratiquer en début de journée, de préférence avant le petit déjeuner, mais que l'on peut aussi répéter plusieurs fois par jour.

Quelques conseils avant d'exécuter la salutation

Vous pouvez travailler séparément chaque mouvement et apprendre cet enchaînement en le segmentant comme suit :

····》 **1er enchaînement**

Commencez par effectuer les postures 2 et 3. Très toniques, elles favorisent tout particulièrement l'accélération du métabolisme, l'élimination des excès de graisses et l'assouplissement de la colonne vertébrale.

····》 **2e enchaînement**

Faites les mouvements 1-2-3-4, puis terminez par les positions 10-11 et 12.

····》 **3e enchaînement**

Enfin, apprenez les postures 5 à 9 et intégrez-les dans l'enchaînement complet.

Recherchez la fluidité dans l'exécution de ces mouvements sans pour autant viser la performance. L'enchaînement complet prend – avec une certaine habitude – environ 20 secondes. En période d'apprentissage, faites 2 à 3 fois ces enchaînements. Vous pourrez ensuite vous fixer comme premier objectif de faire 15 enchaînements en 5 minutes le matin.

Il faut absolument synchroniser la respiration et les mouvements, même si, au début de cette pratique, la synchronisation ne peut s'effectuer de façon parfaite. Commencez par enchaîner les mouvements, puis, petit à petit, concentrez-vous sur votre respiration pour une bonne coordination.

Description de l'enchaînement

····》 **Position de départ**

Debout, pieds joints. Laissez pendre vos bras le long du corps. Serrez les muscles fessiers et ceux de la partie avant de la cuisse.

····》 Contractez les genoux et remontez les rotules. Bombez le thorawx. Rentrez le ventre, étirez l'ensemble de la colonne vertébrale, mais surtout la région cervicale. Veillez à répartir le poids du corps sur les deux pieds et à avoir une assise bien stable en «verrouillage lombaire». **Inspirez par le nez.**

···⟩ **1ᵉʳ mouvement : la prière**

Expirez en repliant les bras, en les collant sur la poitrine, les mains jointes.

···⟩ **2ᵉ mouvement : les bras levés**

Inspirez en levant les bras, les paumes tournées vers le ciel, en tirant le plus possible en arrière sans forcer, fessiers et abdominaux toniques, comme si vous dessiniez un arc de cercle avec votre corps.

···⟩ **3ᵉ mouvement : la pince**

Expirez en fléchissant le tronc vers l'avant, en posant les paumes de vos mains sur le sol, la tête en bas. Votre poitrine doit reposer sur vos jambes.

Essayez de tendre vos jambes, sans rechercher la perfection et sans forcer. La pratique vous apportera petit à petit plus de souplesse.

···⟩ **4ᵉ mouvement : la posture équestre**

Inspirez en fléchissant la jambe droite et en restant en appui sur cette jambe, les mains touchant le sol, les bras dans le prolongement de la tête. Allongez la jambe gauche vers l'arrière, le genou à terre et les orteils à plat sur le sol. Étirez bien le buste et le menton vers le ciel.

⤳ 5ᵉ mouvement : la montagne

Stop : en fin d'inspiration, posez les pieds à plat sur le sol ainsi que les deux mains pour former un V avec les jambes et les bras. Expirez et maintenez bras et jambes tendus. Étirez bien le dos. Les bras sont dans le prolongement du dos, les épaules basses et la tête complètement relâchée.

⤳ 6ᵉ mouvement : la reptation

En apnée, posez les genoux au sol et allongez votre corps sur le sol en le faisant glisser vers l'avant entre vos deux mains posées à plat. Le menton et la poitrine sont au sol, les bras repliés et les coudes collés aux flancs.

Fesses légèrement remontées et pieds en appui sur les orteils, vous êtes prête à soulever votre buste.

⤳ 7ᵉ mouvement : le cobra

Inspirez en redressant votre buste, la tête et le regard levés vers le ciel. Le dos et les jambes forment un arc de cercle. Allongez vos jambes en gardant les orteils posés à plat sur le sol.

⤑ 8e mouvement : la montagne

Expirez en posant vos talons à plat – si possible – sur le sol, de façon à former à nouveau un V avec vos bras et vos jambes. Étirez bien le dos et relâchez la tête.

⤑ 9e mouvement : la posture équestre

Inspirez en projetant cette fois-ci la jambe gauche près de la main gauche et en allongeant la jambe droite vers l'arrière. Même posture que le 4e mouvement.

⤑ 10e mouvement : la pince

Expirez en vous relevant en pince dans la même position que le 3e mouvement. Votre poitrine repose sur vos jambes, la tête en bas et les mains posées au sol.

⤑ 11e mouvement : les bras levés

Inspirez en vous redressant et en étirant les bras à l'arrière, les paumes de main tournées vers le ciel.

⋯⟩ 12ᵉ mouvement : la prière

Expirez en reprenant la position initiale : debout, la tête alignée sur la colonne vertébrale, les bras repliés sur la poitrine et les mains jointes.

Contre-indications : en cas de souffrance de la colonne vertébrale, d'arthrite, d'arthrose, d'asthénie marquée, de grossesse, d'articulations douloureuses, d'états fébriles, etc.

Recommandation : il est recommandé de regarder le soleil levant ou de s'orienter vers l'est pour effectuer ces mouvements. Car si l'on pense au soleil pendant la salutation, son rayonnement irradie alors notre énergie.

Bienfaits : pour moi, le yoga, c'est l'«ancêtre du stretching», car il favorise l'étirement dans la verticale, la souplesse et la dynamique du corps. Son action est globale et a des effets multiples pour l'ensemble de l'organisme. Les bienfaits décrits par André Van Lysebeth (qu'il tirait des propos du rajah de Aundh) sont nombreux :

⋯⟩ «La salutation au Soleil tonifie le système digestif en étirant et en comprimant successivement l'abdomen, masse les viscères (foie, estomac, rate, intestins, reins), active la digestion, élimine la constipation…

⋯⟩ Elle fortifie la sangle abdominale et, de fait, maintient les organes en place.

⋯⟩ Elle synchronise le mouvement et la respiration, ventile les poumons à fond, oxygène le sang et détoxique par l'expulsion massive de CO_2 et autres gaz nocifs par les voies respiratoires…

⋯⟩ Elle augmente l'activité cardiaque et l'irrigation sanguine de tout l'organisme, ce qui est capital pour la santé.

⋯⟩ Elle éloigne les tracas et apporte de la sérénité aux personnes anxieuses…

⋯⟩ Elle rafraîchit et satine l'épiderme, fortifie la musculature, etc. »

Mimer les animaux célestes

Véritable art des postures et des mouvements très lents pour entretenir une souplesse et une mobilité articulaires, le qi gong copie souvent des attitudes prises par les animaux et peut se pratiquer quelques minutes par jour. Quand vous faites ces postures, soyez cet animal et imprégnez-vous de son esprit. Ainsi, expérimenter la tortue en vous, c'est ressentir sa patience, sa lenteur, sa carapace. Vous devenez cette tortue avec son passé préhistorique...

> *« Rien ne sert de courir, il faut partir à point. »*
> *Fables* de Jean de La Fontaine, écrivain populaire du xviie siècle

CULTIVER LA LENTEUR DE LA TORTUE POUR DÉTENDRE SES CERVICALES

Une merveilleuse légende chinoise raconte comment une famille, vivant au fond d'une caverne à la suite d'un glissement de terrain, a survécu 800 ans, en s'inspirant de l'économie des mouvements de la tortue ! Son unique mouvement consiste à tendre et rentrer sa tête dans sa carapace.

····⟩ **Position de départ** : assise ou debout, dans la détente, la colonne vertébrale droite, laissez descendre votre tête en appuyant votre menton sur votre poitrine.

····⟩ **1er mouvement**

Remplissez d'air votre ventre en inspirant par le nez et en tirant le sommet de votre tête vers le haut.

····⟩ **2ᵉ mouvement**

Expirez par le nez ou la bouche en inclinant votre tête en arrière, tout en maintenant bien votre colonne vertébrale droite.

····⟩ **Recommandation**

Pratiquez ce mouvement, dans un endroit calme, 9 fois de suite. Ressentez bien le mouvement et sa lenteur.

····⟩ **Effets**

Cet exercice apporte une grande détente au niveau de la tête, du cou, des cervicales, et vous apprend par la lenteur à vous connecter à vous-même pour retrouver la force vitale qui est en vous.

Faire le pied de grue pour améliorer son équilibre !

La grue, échassier, oiseau migrateur qui vole en bandes, est un symbole populaire chinois de longévité. La posture peu commune de cet oiseau se tenant sur un pied, l'autre patte repliée sous le ventre, était considéré par les Anciens comme une source de vitalité de son système digestif, respiratoire et circulatoire. En effet, ils avaient observé sa capacité à survivre à de nombreux régimes alimentaires.

····⟩ **Position de départ :** debout, les pieds joints, les orteils et les talons se touchent. Prenez conscience de votre centre de gravité en oscillant sur votre pied droit et sur votre pied gauche, tout en respirant tranquillement afin de trouver progressivement votre équilibre statique. Puis choisissez le mouvement le plus adapté à vos possibilités.

····⟩ **Mouvement facile :** placez la plante d'un pied sur le mollet de l'autre jambe. Faites glisser lentement votre cou-de-pied jusqu'à l'arrière du genou. Inspirez par le nez en levant les deux mains au-dessus de votre tête et joignez-les en gardant la position quelques secondes puis expirez par le nez ou par la bouche profondément. Changez de pied d'appui et reprenez la même posture pendant le même temps.

----> **Mouvement plus difficile :** lorsque votre équilibre sera plus aisé, faites glisser lentement votre pied jusqu'à la partie antérieure de la cuisse. Inspirez par le nez en levant les deux mains au-dessus de votre tête et joignez-les en gardant la position quelques secondes puis expirez par le nez ou par la bouche profondément. Changez de pied d'appui et reprenez la même posture pendant le même temps.

----> **Recommandations :** concentrez-vous sur votre respiration et sur l'équilibre à maintenir quelques secondes. Essayez de tenir le plus longtemps possible. Quelqu'un de très entraîné peut rester dans cette position 4 à 5 minutes, mais cela reste un objectif lointain. Contentez-vous de quelques secondes dans un premier temps. Rappelez-vous que vous ne cherchez pas la performance.

----> **Effets :** cet exercice – excellent pour stimuler les organes digestifs – agit comme un activateur de notre force vitale. Cette pose apprend à travailler l'équilibre.

Vivre « centenaire » comme un phénix heureux

Le phénix, oiseau magnifique et fabuleux, doté d'une longévité extraordinaire, avait la faculté selon la légende de se consumer et de renaître de ses cendres. Il est un symbole de résurrection.

Appelé également mouvement de « cent ans », cet exercice est bon pour la santé et la longévité et facilement réalisable en moins de 10 minutes.

----> **Position de départ :** debout, écartez légèrement les jambes en plaçant la jambe gauche à un demi-pas devant l'autre.

···⟩ **Mouvement :** pliez les genoux légèrement, la colonne vertébrale droite, en relâchant le bassin comme si vous étiez assise dans un fauteuil, mais en position debout. Tendez les deux bras en avant, les paumes orientées vers le bas.

Puis penchez-vous en avant en vous baissant lentement d'environ 20° tout en gardant la colonne vertébrale droite. Dans le même temps, tirez vos bras vers l'arrière comme si vous alliez plonger dans une piscine. Regardez vers le bas en vous penchant en et, puis redressez-vous.

···⟩ **Recommandations :** à faire 9 fois en moins de 10 minutes, de préférence à côté d'un miroir pour vérifier la bonne position de la colonne vertébrale.

Rugir comme un dragon pour accroître sa vitalité

Le dragon, « animal fabuleux que l'on représente généralement avec des ailes, des griffes et une queue de serpent », selon la définition du *Petit Robert,* s'apparente le plus souvent en Occident à un symbole démoniaque ou à un gardien sévère. Il est perçu d'une manière tout autre en Chine, comme un être fantasque et profondément intuitif qui puise sa force dans l'inspiration artistique et créatrice. Il agit comme un révélateur de notre dimension irrationnelle intérieure. C'est aussi un symbole de puissance et le gardien de l'immortalité.

L'exercice respiratoire décrit ci-après m'a été enseigné par David Tran, réflexologue.

·····⟩ **Position de départ :** debout, la tête haute, les jambes légèrement écartées et fléchies, les pieds bien campés sur le sol, les mains en avant prêtes à sortir les griffes, ou, pour plus de confort, posées sur les hanches, concentrez-vous sur votre respiration.

·····⟩ **Mouvement :** sans bouger la partie haute de votre buste, tournez vos hanches 9 fois* dans le sens des aiguilles d'une montre et, à la fin de la dernière spirale, faites sortir l'énergie vitale en poussant un cri, dans l'attitude d'un dragon qui rugit les yeux grand ouverts et les griffes serrées. Faites la même chose dans l'autre sens.

·····⟩ **Effets :** la spirale vibratoire dans laquelle s'inscrit cet exercice fait monter l'énergie. Vous en ressentirez très vite les effets toniques durant votre journée. Cet exercice est excellent pour muscler le ventre.

* Ces 18 tours correspondent au chiffre 9 (produit de l'addition de 8 + 1), chiffre éternel dans la philosophie taoïste. Traditionnellement, cet exercice se fait sur la base de 81 tours dans chaque sens. Je vous recommande de l'effectuer de façon graduelle. Commencez par 9 et augmentez progressivement le nombre de tours, à la condition de rester dans un multiple de 9 (18, 27, 36, 45 etc.).

Là encore, la performance importe peu, ce qui compte, c'est de rester attentive à chaque geste, au cercle que vous dessinez avec vos hanches, ainsi qu'à votre respiration.

La respiration du dragon

Cet exercice décrit par Lilian Too, spécialiste du feng shui, comprend 9 cycles de respiration, chaque cycle se décomposant comme suit :

····❭ **Position de départ** : debout, immobile, face à l'est, en pensant au dragon, fléchissez vos jambes et plaquez vos deux mains sur votre estomac, la paume droite recouvrant le dos de la main gauche, tout en gardant votre colonne vertébrale droite et votre coccyx rentré.

····❭ **Mouvement** : inspirez avec les narines et sentez le souffle pénétrer dans votre estomac. À faire très lentement. Sentez votre estomac se relâcher et se tendre comme un tambour. Lorsque vous arrivez au bout de votre inspiration, penchez-vous en avant de 15 ou 25° et expirez aussi lentement que vous avez inspiré, jusqu'à ce que votre estomac soit vide, puis redressez-vous. Vous avez ainsi effectué un premier cycle de respiration.

····❭ **Effets** : cet exercice est excellent pour «allumer» vos ambitions et vous motiver d'une façon très détendue.

Se muscler sans se faire mal

L'exercice physique chasse à merveille le stress et les idées noires! Parmi le nombre impressionnant d'exercices existants pour tonifier, raffermir, galber et fortifier chaque muscle de votre corps, j'ai sélectionné ceux qui vous permettront de vous muscler sans risque, dans le plaisir de sentir votre corps. Naviguant entre la raideur que nous impose le stress et des positions avachies au bureau, à table ou sur notre canapé pour compenser, il nous faut lutter contre cette pesanteur et travailler nos muscles dans la souplesse, l'étirement et la conscience de notre corps. Notre priorité aujourd'hui, nous le savons, c'est être bien à l'intérieur de notre corps, beaucoup plus que d'avoir la ligne sculpturale. Ces exercices – si vous les faites calmement – vous apporteront de l'aisance.

Choisir le meilleur moment pour faire de l'exercice

Y-a-t-il une heure idéale pour exercer une activité physique?
«Quand on peut» est sans doute la meilleure réponse à cette question.
De nombreux arguments plaident en faveur du matin. Ce qui compte finalement, c'est de trouver le temps de faire de l'exercice. Vous opterez pour les exercices et l'heure les plus appropriés, en respectant bien vos besoins, vos possibilités et votre mode de vie.

Travailler ses abdominaux chez soi ou dans son jardin

Détendez tout votre corps par une respiration profonde, puis étirez-vous au maximum. Bras tendus au-dessus de la tête, appuyez le plus possible toutes les parties de votre corps à un arbre ou à un mur. Ayez l'impression d'être «collée» au support que vous avez choisi.

Dans cette position, inspirez largement et détendez-vous. À recommencer 5 ou 6 fois.

POUR GARDER LE VENTRE PLAT

Avoir de bons abdominaux, c'est obtenir un ventre plat, un bon dos et préserver les muscles du périnée. Voici deux exercices très simples à effectuer pour tonifier les muscles profonds, sans forcer.

┈┈⟶ **Recommandations :** pour pratiquez la respiration abdominale, le ventre se gonfle à l'inspiration et se creuse lorsque vous expirez, sans blocage.

1er exercice

┈┈⟶ **Position de départ :** allongée sur le dos, jambes pliées devant vous, les pieds à plat sur le sol, la nuque allongée et les bras légèrement écartés du corps, inspirez par le nez.

┈┈⟶ **Mouvement :** poussez la taille vers le sol, en expirant par le nez. Rentrez le nombril jusqu'à sentir la circonférence de votre taille diminuer. Relâchez et reprenez le mouvement plusieurs fois.

┈┈⟶ **2e exercice**

Position de départ : à quatre pattes, les mains et les genoux respectant l'écartement des épaules et des hanches, le dos est long, le regard fixé au sol. Dans cette position, inspirez lentement en gonflant l'abdomen.

┈┈⟶ **Mouvement :** expirez par le nez en rentrant le ventre, sans bouger la colonne vertébrale. Relâchez et répétez l'exercice plusieurs fois.

Au fur et à mesure de votre entraînement, vous pourrez accroître le nombre de répétitions dans chaque série.

Muscler ses cuisses

····⟩ **Position de départ :** assise par terre, en appui sur les mains, ou sur une chaise, jambes écartées de la largeur du bassin, le dos calé contre le dossier.

····⟩ **Mouvement :** faites de petits battements de pied au-dessus du sol, la jambe tendue ou légèrement fléchie. Vous renforcez ainsi vos quadriceps.

Respirez normalement pendant toute la durée de l'exercice.

Enchaînez les mouvements pendant 20 secondes environ avec une jambe sans vous arrêter et, si vous le pouvez, maintenez la position statique une dizaine de secondes. Faites ce même exercice avec l'autre jambe.

····⟩ **Recommandations :** pensez à maintenir votre dos bien droit.

Assouplir ses cuisses et ses abdominaux

····⟩ **Position de départ :** assise sur le sol, les jambes d'équerre, tenez-vous bien droite, les épaules basses.

····⟩ **Mouvement :** commencez par la jambe droite. Tendez la pointe du pied en avant et ramenez-la vers vous de façon à ce que votre pied fasse un angle droit avec votre jambe droite. Effectuez le mouvement une vingtaine de fois environ. Faites la même chose avec l'autre jambe puis avec les deux en même temps. Respirez tranquillement pendant cet exercice.

Raffermir sa poitrine

····⟩ **Position de départ :** debout, pieds à plat, jambes tendues et écartées de la largeur de votre bassin, fesses et ventre contractés, levez les bras en les tendant au-dessus de la tête, doigts entrecroisés, paumes tournées vers le ciel.

····⟩ **Mouvement :** tout en gardant le corps bien placé, tirez 5 fois les bras en arrière en expirant de préférence par le nez. Inspirez en revenant à la position initiale. Faites des séries de 5 puis de 10 mouvements.

····⟩ **Recommandations :** veillez à ne pas vous cambrer et gardez la tête droite, le menton légèrement rentré.

Faire l'avion, c'est excellent pour le dos

Les muscles lombaires, le milieu des omoplates et les muscles fessiers travaillent.

····⟩ **Position de départ :** allongée sur le ventre, jambes serrées, bras en croix. Décollez les bras et les pieds du sol en serrant les fesses.

····⟩ **Mouvement :** allongez les bras au-dessus de la tête en faisant un demi-cercle. Ramenez les bras en croix sans poser les paumes au sol en gardant la tête dans le prolongement du corps. Décollez légèrement les pieds du sol. À faire deux fois en tenant le mouvement 1 minute.

Inspirez avec les bras en croix et expirez en ramenant les bras au-dessus de la tête. Vous pouvez faire un cercle complet en ramenant vos mains du dessus de la tête au-dessus des fesses sans les poser.

····⟩ **Recommandations :** pensez à garder la tête dans le prolongement du corps et à contracter les fesses. Ne décollez pas trop les pieds du sol pour ne pas vous cambrer. Ne redressez pas la tête afin de ne pas tirer sur les cervicales.

Tonifier ses fessiers

····⟩ **Position de départ :** à quatre pattes, les coudes au sol.

····⟩ **Mouvement :** ramenez un genou sous la poitrine et, en expirant, remontez la jambe au-dessus de la fesse en serrant bien les fessiers et en tirant l'arrière de la cuisse. Puis changez de jambe.

Faites 2 séries de 30 répétitions.

····⟩ **Recommandations :** pensez à garder la tête dans le prolongement du corps. Évitez de monter la jambe trop haut pour ne pas vous cambrer. Ne laissez pas partir le poids du corps en avant.

Le pied et le genou doivent impérativement se trouver au-dessus de la fesse pour que la contraction soit à son maximum. La jambe doit être bien droite pour travailler le galbe du fessier et non l'articulation de la hanche.

Penser à ses triceps

····⟩ **Position de départ :** debout, prenez une demi-bouteille d'eau remplie d'eau ou de sable dans la main droite.

····⟩ **Mouvement :** les jambes légèrement fléchies, tendez le bras droit à la verticale. Pliez votre bras droit derrière la nuque pour toucher votre épaule gauche. Remontez ensuite le bras droit vers le haut, puis redescendez. Faites une série lente de 20 mouvements, puis une plus rapide de 20. Changez de bras.

····⟩ **Recommandations :** pensez à votre respiration qui doit être tranquille et régulière. Expirez en faisant l'effort.

Affiner sa taille

····> **Position de départ :** debout, jambes écartées. Serrez les fesses, une main sur la taille et l'autre bras collé à l'oreille en poussant votre main le plus loin possible.

····> **Mouvement :** sans bouger les hanches, descendez sur le côté en rentrant le ventre et en expirant. Puis remontez en inspirant. Faites une série de 30 secondes puis changez de côté. Outre la taille, cet exercice fait également travailler vos épaules et le dos.

····> **Recommandations :** ne poussez pas avec les reins et évitez de tirer le biceps vers le bas.

Sauter à la corde

Certes, nous avons appris à sauter à la corde dans les cours de récréation ! Ce sport n'en est pas moins un sport d'adulte. Il est en effet très complet et facile à pratiquer, de préférence le matin, afin que l'énergie circule dans votre corps. Il fait travailler la posture, les muscles du bas du corps et tonifie le dos et la sangle abdominale. Son efficacité du point de vue des dépenses énergétiques l'emporte sur le jogging, le vélo ou la marche. Ainsi 10 minutes de corde à sauter équivalent à environ 30 minutes de footing...

····⟩ **Échauffement :** faites une vingtaine de cercles avec les bras et quelques exercices de flexion-extension avec vos jambes pendant 1 minute.

····⟩ **Mouvement :** prenez votre corde et sautez d'un pied sur l'autre – surtout ne joignez pas les pieds – en vous tenant droite, sans vous pencher en avant, les jambes souples et la paume des mains vers le ciel. Faites tourner les poignées de la corde et non les bras. Ne sautez pas trop haut, il suffit que la corde passe sous vos pieds.

Recommandations

····⟩ Pour bien tourner, la corde doit être suffisamment lourde et à la bonne longueur. Ainsi, lorsque vous mettez les pieds sur le milieu de la corde, elle doit pratiquement atteindre vos aisselles.

····⟩ Allez-y doucement : faites 3 séances de 2 minutes en sautant lentement, entrecoupées de pauses de 1 à 3 minutes, et respirez profondément.

Puis, lorsque vous serez plus à l'aise, vous pourrez varier les rythmes, sachant que 1 minute correspond à environ 45 sauts exécutés normalement. Par exemple, dans vos séances de 2 minutes, faites la première minute lentement, puis les 45 secondes suivantes plus rapides et les 15 dernières très rapides. Et augmentez progressivement le temps des séances jusqu'à 10 minutes par jour. Vous serez étonnée de vos progrès, surtout si vous associez le saut à la corde à la marche rapide.

┈┈⟶ Ressentez bien le lien entre le mouvement de vos bras et celui de vos jambes.

Par la coordination de vos bras et de vos jambes, c'est vous qui activez le mouvement de la corde et non l'inverse.

┈┈⟶ Et prenez du plaisir dans la pratique de cet exercice, en écoutant de la musique par exemple pour vous donner de l'entrain.

┈┈⟶ Buvez un peu d'eau avant et après l'exercice afin d'hydrater votre corps, cela vous évitera des crampes. Terminez cet exercice par quelques étirements.

┈┈⟶ **Prenez une douche bien chaude (35 à 40 °C) :** pour détendre vos muscles et favoriser le relâchement des tensions. Lavez-vous par exemple avec un produit aux algues fortement minéralisé qui hydrate et nettoie l'épiderme en douceur. Avec en prime des effluves d'océan pour vous relaxer.

┈┈⟶ **Contre-indications :** cette activité sollicite beaucoup les articulations et, si vous êtes sujette aux problèmes de dos, de cheville ou de genou, il vaut mieux éviter de sauter à la corde. Sinon, ce sport peut être pratiqué quels que soient l'âge ou le niveau sportif.

10 minutes de marche rapide et 3 minutes de corde à sauter, voilà un cocktail énergétique formidable pour la forme et le moral. Lancez-vous !

La toilette du matin

Trois massages énergisants !

Ces trois massages sont à faire de préférence avant le petit déjeuner dans un lieu calme. Les deux premiers sont rapides. Le troisième, un peu plus long, nécessite d'apprendre les 15 étapes et d'avoir un peu plus de temps.

Un massage éclair inspiré du qi gong

Cet auto-massage extrêmement facile à effectuer favorise le réveil de votre vitalité. Pensez à chacun de vos gestes et prenez du plaisir à vous chouchouter pour jouir pleinement de ce premier moment de la journée.

····⟩ **Position de départ :** assise ou debout, commencez par trois respirations abdominales complètes.

····⟩ **Massage :**
– Frottez-vous les mains en souplesse en vous attardant sur chaque zone de votre main, comme si vous exprimiez une grande satisfaction, jusqu'à ressentir une sensation de chaleur.
– Frictionnez-vous alors les pieds, les chevilles, les genoux, les hanches, le bassin, dans un mouvement qui part de la périphérie vers le centre du corps. Puis continuez avec le corps, en vous frottant le bas-ventre, le ventre, la poitrine, en remontant jusqu'aux épaules et massez chaque bras en descendant jusqu'au bout des doigts.
– Terminez ce massage énergétique par le cou, le visage, en frottant doucement chaque partie de votre visage puis le crâne jusqu'au sommet.
– Époussetez tout votre corps comme si vous enleviez des gouttelettes de pluie déposées sur votre peau pour les expulser à l'extérieur, afin de réguler en vous cette nouvelle énergie matinale.

Un exercice de do-in

Ce deuxième massage est souvent utilisé pour démarrer une séance de yoga ou de shiatsu. Il stimule l'énergie ainsi que la circulation des méridiens.

1. Frottez-vous les mains, l'une contre l'autre puis sur les deux côtés. Assouplissez chaque main en tirant les doigts à l'extérieur et à l'intérieur. Frottez-vous avec de petits mouvements circulaires le cou, le visage, les yeux, le contour des yeux, le front, les tempes, le crâne.

2. Debout, tapotez avec le poing votre épaule puis votre bras en suivant la face externe jusqu'à l'extrémité extérieure de la main et remontez jusqu'à votre aisselle par la face interne de votre bras. À faire 3 fois sur chaque bras.

3. Asseyez-vous sur les talons, légèrement penchée en avant. Martelez avec vos poings à demi-fermés chaque côté de votre colonne vertébrale, en partant des fesses et en remontant vers le milieu du dos.

4. Terminez assise en tailleur, le dos droit. Posez votre pied gauche sur votre cuisse droite, faites une légère rotation de la cheville puis étirez les orteils en avant et en arrière.

Enfin, tapotez-vous la voûte plantaire, en commençant par le talon et en finissant par les orteils. Faites la même chose avec l'autre pied.

Un massage qi gong plus technique et particulièrement régénérant

Recommandé par Yves Réquéna, ce massage plus long et plus complet se déroule sur 15 phases. Il concerne le visage et ses sept orifices, le cou, le thorax, les reins, le ventre et les membres. Il est simple à faire à la condition de mémoriser les 15 gestes dont l'enchaînement vous semblera naturel dès que vous l'aurez réalisé une ou deux fois.

Pratiqué le matin au réveil, cet exercice vous apportera une grande énergie pour la journée.

La pratique vous apprendra à moduler ce massage en fonction de vos aptitudes et de vos ressentis. Pour en bénéficier pleinement, soyez appliquée et attentive à chacun de vos gestes et effectuez-les sans hâte, à la manière du chat qui se lèche.

Ressentez bien chaque partie de votre organisme et la circulation de l'énergie partant des mains vers chaque zone de votre corps. Laissez-vous guider par vos besoins en insistant sur certaines parties plus que sur d'autres, en toute liberté.

····⟩ 1re phase : frottez-vous les mains

Pour commencer, frottez vos deux paumes de main l'une contre l'autre, en insistant sur toute la surface de la main jusqu'au bout des doigts. Ce frottement de quelques secondes produit de la chaleur et fait venir l'énergie dans les paumes.

À réaliser au début de ce massage et entre chaque étape.

····⟩ 2e phase : massez votre visage

Faites avec les deux mains des mouvements circulaires en commençant par le front, les yeux, les joues, le menton et en remontant par les côtés, les mâchoires, le devant des oreilles, les tempes jusqu'au sommet du front.

Recommandations : appuyez légèrement en descendant et plus fortement en montant.

Répétition : 10 à 15 cercles.

Bienfaits : ce massage stimule les muscles du visage, lutte contre son affaissement et contre les rides.

N'oubliez pas de frotter vos mains entre chaque phase !

····⟩ 3e phase : frottez-vous le front

Frictionnez-le avec une main une quinzaine de fois, exactement comme si vous l'essuyiez, puis avec l'autre main de la même façon. Ce massage stimule la circulation du sang et de l'énergie dans les sinus ainsi que dans la peau avec un effet antirides.

····⟩ 4e phase : massez votre cuir chevelu

Avec le bout des doigts, avancez par petites saccades et appuyez fortement sur le cuir chevelu d'avant en arrière une quinzaine de fois environ. Puis passez vos ongles sur votre cuir chevelu, sans l'irriter, sans saccades et lentement.

Ce massage aide la peau à respirer et tonifie le cuir chevelu.

Si vous avez des pellicules ou un excès de sébum, massez modérément votre crâne.

····⟩ 5e phase : massez vos yeux

Posez vos mains sur vos yeux puis étirez-les vers les tempes. Faites ce mouvement plusieurs fois. Insistez bien sur toute la surface de l'œil, les paupières, les sourcils, l'arcade sourcilière. Ce massage fortifie les yeux et la vision.

···⟩ **6ᵉ phase : massez votre nez**

Frottez avec les deux index les bords du nez, des ailes à la racine de haut en bas et de bas en haut.

···⟩ **7ᵉ phase : massez vos lèvres**

Avec un index placé au-dessus de la lèvre supérieure et l'autre index en dessous de votre lèvre inférieure, dans la fossette du menton, massez une quinzaine de fois puis intervertissez vos index et recommencez une quinzaine de fois. Ce massage stimule les muscles orbiculaires des lèvres et freine l'apparition des rides autour de la bouche.

···⟩ **8ᵉ phase : massez vos oreilles**

Passez chaque oreille entre l'annulaire et le majeur de chaque main. Massez vigoureusement de bas en haut et de haut en bas, une trentaine de fois environ. Puis posez les mains à plat sur les pavillons des oreilles et massez d'avant en arrière et d'arrière en avant en repliant les pavillons, 30 fois également. Entre le pouce et l'index, pincez le pavillon en remontant et descendant une trentaine de fois.

Ce massage stimule la circulation du sang et de l'énergie dans les pavillons et les oreilles. Il stimule l'audition et tous les points réflexes du corps, car le pavillon est une zone réflexe où se projette tout le corps.

···⟩ **9ᵉ phase : massez le palais du vent**

Faites des pressions-rotations en appuyant fort, avec le bout du majeur ou avec tous les doigts, le point d'acupuncture situé à droite et à gauche, sous l'occiput dans un creux profond. À faire une trentaine de fois. Ce massage améliore le sommeil, lutte contre les douleurs de la nuque et les migraines.

⋯⟩ 10ᵉ phase : massez-vous la nuque

Avec les mains à plat sur l'os de l'occiput, descendez de part et d'autre des vertèbres le long du cou jusqu'aux trapèzes, 20 à 30 fois. Ce massage assouplit la nuque, régularise le sommeil et lutte contre l'ankylose des vertèbres cervicales.

⋯⟩ 11ᵉ phase : massez le palais des centres vitaux et le « grand lo »

Croisez vos bras et frottez avec la main droite, de bas en haut en diagonale, le palais des centres vitaux, c'est-à-dire le point qui se situe dans l'angle interne gauche formé par les clavicules et le sternum, tandis que la main gauche frotte le « grand lo » de l'énergie, point qui se trouve à deux travers de main (c'est-à-dire à une distance équivalente à deux fois la largeur de la main) sous l'aisselle, 30 fois, et faites la même chose de l'autre côté. Ce massage stimule la circulation de l'énergie nourricière dans tout le corps.

⋯⟩ 12ᵉ phase : massez vos reins avec les poings

Fermez les poings mais sans serrer index et pouces pour laisser un creux entre eux. Avec ces anneaux formés par le pouce et les doigts, massez les reins en tournant de part et d'autre de la colonne vertébrale, 15 fois dans un sens et 15 fois dans un autre. Puis avec les poings serrés, tapotez vos reins à gauche et à droite alternativement. Ce massage renforce le fonctionnement des reins et de leur énergie. Il tonifie la région lombaire, prévient les courbatures, les lombalgies, notamment à l'effort ou pendant les règles.

⋯⟩ 13ᵉ phase : massez votre bas-ventre

Une main monte tandis que l'autre descend une trentaine de fois. Vous devez ressentir de la chaleur sur la peau qui se diffuse peu à peu à l'intérieur. Puis avec les poings serrés, tapotez légèrement et alternativement avec un poing puis avec l'autre le centre de votre abdomen. Ce tapotement est à effectuer sur une zone se situant à une largeur de votre main, en dessous du nombril.

Contre-indication : à éviter si vous êtes enceinte, si vous avez mal au ventre ou pendant les règles.

⋯⟩ 14ᵉ phase : massez vos bras

Avec la paume de la main gauche, massez le bras droit en descendant par la face interne du bras jusqu'à la paume et l'extrémité des doigts, et remontez par la face externe jusqu'à l'épaule. 15 fois. Puis changez de bras, c'est la main droite qui masse le bras gauche. 15 fois également. Ce massage suit le sens des méridiens et stimule la circulation de l'énergie dans le corps.

⋯⟩ 15ᵉ phase : massez vos jambes

Placez la paume de vos mains sur les faces arrière et latérale des jambes et descendez jusqu'au bout des petits orteils. Puis remontez à partir des gros orteils jusqu'en haut des cuisses par la face interne des cuisses. À faire une trentaine de fois.

Votre toilette énergétique est terminée. Vous voilà remplie d'énergie pour vivre agréablement votre journée.

Toilette minutieuse de la bouche

Petit coup d'œil sur la langue chaque matin

Au lever, observez votre langue dans le miroir de la salle de bains. Sa couleur vous donnera des indications sur votre santé.

En médecine traditionnelle chinoise, l'examen de la langue est une étape fondamentale. En effet, la langue nous instruit sur les risques et la nature des agressions externes, mais aussi sur l'état énergétique de nos organes et de nos entrailles. Les médecins chinois suivent l'évolution d'une maladie grâce à l'observation de la langue.

Une langue rose et lisse est la norme. Si votre langue est légèrement blanche à la suite d'un repas copieux ou d'une contrariété, elle vous signale qu'une diète serait bénéfique.

Un jus de citron frais ou de pamplemousse à jeun rincera votre organisme. Et si cela persiste, allez voir un médecin.

En Inde, les gens se grattent la langue chaque matin !

La plupart des Indiens commencent la journée en se râpant la langue avec un grattoir lingual en bois ou un bâton – pour les plus démunis – afin d'éliminer la pellicule blanchâtre qui se dépose sur la langue pendant la nuit. Ce geste stimule l'élimination des toxines et purifie l'organisme des déchets de la veille, si le dépôt est très superficiel.

Il suffit de frotter très doucement la langue avec un bâtonnet ou avec l'arête d'une cuillère à café et de cracher ensuite les substances toxiques. Puis rincez votre bouche avec de l'eau tiède douce ou légèrement salée. Et terminez par un ou deux gargarismes. On dit que cette pratique affine le sens du goût.

Compléter le nettoyage des dents par le fil dentaire

Le fil dentaire est bon pour les dents, mais aussi pour l'organisme ! C'est le meilleur moyen d'obtenir des gencives saines, de lutter contre les bactéries qui se logent dans les espaces interdentaires souvent difficiles à atteindre avec votre brosse à dents et d'avoir une haleine fraîche.

Pour l'utiliser efficacement, coupez environ 10 à 15 centimètres de fil, tendez-le entre les deux index et faites-le passer entre les dents. Plaquez-le sur la face latérale d'une dent et faites-le monter et descendre doucement. Procédez ainsi entre vos dents de façon à nettoyer les deux côtés de chaque dent. Puis retirez le fil en lâchant l'un des deux côtés.

⋯⋯⟶ **Recommandations :** à faire après le petit déjeuner. Procédez doucement afin de ne pas blesser la gencive.

Tirer la langue lui donne du tonus

Quelques exercices stimuleront cet organe dont nous nous servons sans cesse et qu'en général nous ignorons, excepté lorsque nous nous brûlons ou nous mordons le bout de la langue.

Inspirez tranquillement par le nez et sortez votre langue de la bouche aussi loin que vous pouvez, en faisant des petits mouvements circulaires ou linéaires. Pensez à expirer à ce moment-là. À faire 2 ou 3 fois. Cet exercice favorise également la détente de tout le corps.

Les soins quotidiens du visage

Le nettoyage du visage

Chaque matin, un nettoyage minutieux du visage est nécessaire pour en éliminer les impuretés. La peau, miroir de notre forme, doit être soignée quotidiennement pour conserver au maximum son éclat.

Utilisez un lait et massez avec la main votre visage, en appuyant doucement avec la paume, que vous retirez de temps à autre pour créer un effet ventouse. Cela décolle les résidus.

Terminez par une brumisation d'eau thermale. Mieux encore, utilisez une eau florale à la camomille, à la rose, au thym... Ou bien utilisez un savon non agressif pour votre peau et rincez votre visage à l'eau fraîche ou froide. Cette méthode vivifiante est celle que je préfère.

Cure de jouvence grâce à une séance de digipuncture !

La digipuncture est un massage thérapeutique chinois. En agissant sur les points d'acupuncture se situant sur les méridiens, on combat le stress de la vie quotidienne et on protège sa santé. Ainsi, en massant tous les jours 5 points du visage, vous améliorerez sa tonicité et sa souplesse.

Massez les trois premiers points en dispersion, c'est-à-dire en exerçant des pressions-rotations dans le sens inverse des aiguilles d'une montre :

– 1er point se situant à l'angle : à l'angle externe de l'œil, au sein d'une petite dépression.

– 2e point se trouvant entre les deux sourcils, au creux d'une légère dépression.

– 3e point se situant à un travers de doigt de chaque côté de la bouche.

Puis massez les deux derniers points en tonification, c'est-à-dire dans le sens des aiguilles d'une montre :

– 4e point se situant devant l'oreille sur le muscle masséter, celui qui se contracte quand on bouge la mâchoire.

– 5e point se trouvant au centre des sourcils sur la ligne qui leur est tangente.

Un massage antirides à la pomme pour une peau plus belle

Passez une pomme à la centrifugeuse et massez aussitôt votre visage et votre cou avec le jus de la pomme 5 à 10 minutes. Rincez à l'eau douce.

La pomme bourrée de vitamines, surtout connue pour ses bienfaits sur le plan alimentaire, recèle de belles qualités pour notre épiderme : elle stimule les tissus et raffermit notre peau.

Ce soin, pratiqué par les Anciens à titre préventif, agit efficacement pour stimuler les tissus et lutter contre les rides. On raconte que ce fruit est né en Anatolie (Turquie), il y a quatre-vingts millions d'années et qu'il est aujourd'hui le plus cultivé dans le monde, avec ses 6 000 variétés. Soin à pratiquer de temps en temps, le matin ou le soir avant de vous coucher.

Massages d'ici et d'ailleurs

Un bon massage agit à tous les niveaux de l'organisme. Sur le plan physique, il renforce le tonus musculaire, stimule la circulation veineuse et lymphatique, oxygène les tissus, assouplit les articulations. Sur le plan mental, le massage calme le stress et l'angoisse, aide à être davantage conscient de son corps dans sa globalité.

Le massage est un excellent moyen pour retrouver sa sérénité. Le problème, c'est que tout le monde n'a pas un masseur à domicile ou le temps d'aller en institut. Rassurez-vous, vous pouvez le faire vous-même.

Massage express sous la douche

Se doucher avec un pommeau fixé au plafond est idéal pour dénouer les trapèzes et assouplir les articulations des épaules.

Puis avec la pomme de la douche dans votre main, dirigez le jet sur vous en commençant par les chevilles et remontez le long de la jambe.

Insistez sur le genou en effectuant des petits mouvements circulaires puis remontez jusqu'aux fesses.

Effectuez des mouvements circulaires sur le ventre dans le sens des aiguilles d'une montre ou sur les seins.

Cela procure des sensations de bien-être semblables à celles du massage.

Imiter les Japonais

À l'aide du *taotiki,* instrument de massage japonais, stimulez votre cuir chevelu. Ce petit instrument dispose d'un disque circulaire en plastique parsemé de tiges à bout arrondi et maintenu par un manche cylindrique mobile, constellé lui aussi de petits picots à bout arrondi. De légères pressions brèves et répétées sur le cuir chevelu stimulent et massent les différents points d'acupuncture du crâne, activant ainsi la pousse des cheveux. Cela agit également sur l'harmonisation du système nerveux et favorise la concentration.

En cas de pellicules ou d'un excès de sébum, contentez-vous de frictionner très légèrement votre crâne.

Malaxer ses pieds

Les Chinois disent que nous serions à l'abri de la maladie si nous massions nos pieds 10 minutes par jour. Le pied est la zone réflexe par excellence, car nous pouvons agir directement à distance sur nos organes, *via* le système nerveux.

Quand vous les massez pieds et pétrissez vos orteils, la voûte plantaire, le dessus du pied, en n'omettant aucune partie, si infime soit-elle, vous vous détendez, et vous permettez une meilleure circulation et un rééquilibrage de l'énergie dans vos organes.

EN INDE, LE MASSAGE AYURVÉDIQUE JOUE UN RÔLE CAPITAL DANS LA VIE QUOTIDIENNE

L'ayurvéda conseille de se masser après l'élimination des selles et lorsque nous commençons à avoir faim, de préférence tôt le matin. Ce massage du corps entier, conseillé par Kiran Vyas, praticien de l'ayurvéda, s'accomplit avec de l'huile de sésame ou de moutarde parfumée aux huiles essentielles de fleurs, et s'effectue avant ou après la douche. Vous pouvez également utiliser une huile relaxante ou tonifiante.

····> **1re étape : huiler toutes les parties du corps**

Trempez tout d'abord votre annulaire droit dans cette huile et effectuez 12 petits cercles dans le nombril, dans le sens des aiguilles d'une montre. Ce point est très important car il est votre centre énergétique.

Puis déposez quelques gouttes d'huile sur la racine des ongles des orteils et des doigts, dans chaque narine et dans les oreilles. Continuez sur le sommet de la tête, entre les sourcils, sur la gorge, au milieu du sternum au niveau du cœur, sur le plexus solaire, de nouveau dans le nombril, puis sur le bas-ventre, à la racine de la colonne vertébrale, ainsi que sur toutes les articulations. Et terminez par les genoux, les chevilles, l'aine, les poignets, les coudes et les épaules.

····> **2e étape : mieux connaître son corps en le massant**

Laissez courir vos mains sur votre corps, en fermant les yeux si vous le pouvez, afin d'être plus à l'écoute de vos sensations. Ce massage sera d'autant plus positif que vous vous masserez avec amour et attention.

Les jambes

····⟩ **En position assise,** posez votre cheville droite sur votre cuisse gauche et massez-vous la plante du pied droit. Passez les doigts entre chaque orteil et tirez les orteils. Travaillez la souplesse de la cheville en faisant des rotations dans les deux sens et massez la plante du pied. Puis remontez vers la cheville en massant profondément sans hâte et en essayant de ressentir ces mouvements de pression et de rotation de la main sur votre corps. Remontez jusqu'au genou, la cuisse et l'aine en faisant bien pénétrer l'huile. Faites la même chose avec la jambe gauche.

Le haut du corps

····⟩ **Massez-vous de la même manière** les bras en commençant par le bras droit, poursuivez par le devant du corps, le ventre dans le sens des aiguilles d'une montre et remontez vers la poitrine. Puis terminez par le dos comme vous le pouvez. Vous acquerrez progressivement de la souplesse. Achevez ce massage par la nuque, le cou, le visage, la tête et les paupières en pressant très légèrement les globes oculaires.

····⟩ **Après le massage,** prenez une douche en évitant de trop savonner votre corps, afin de ne pas éliminer l'huile bénéfique pour la peau et la santé du corps.

Ses bienfaits sont multiples

····⟩ Le massage de la tête, des oreilles, des doigts et du visage permet un relâchement profond, car il fait la jonction entre la conscience et le corps. Le massage du dos élimine la fatigue et favorise une bonne respiration. Celui du ventre agit sur la digestion, la colère, l'angoisse, les doutes, la jalousie.

····⟩ Le massage de la poitrine agit sur l'affectif et sur le bien-être.

····⟩ Le massage des jambes favorise votre lien à la terre, améliore votre stabilité et la circulation sanguine.

Globalement, il apporte une grande détente et relance votre énergie vitale. Il stimule la circulation de la lymphe, améliore la circulation sanguine, atténue les douleurs de dos, d'articulations, de jambes lourdes et autres petits maux qui polluent vos journées! Alors, découvrez ces gestes simples de prévention pour une vie plus agréable.

La douche tonique,
un petit moment de bonheur

Passerelle entre la nuit et le jour

Selon l'ayurvéda, la douche rend le corps pur, confère la longévité, augmente la puissance sexuelle et améliore la capacité à travailler. C'est pourquoi les Indiens la considèrent comme un véritable cadeau pour soi. Elle élimine la sueur et les toxines de la nuit. C'est le passage de la somnolence, de la chaleur et de la paresse du corps à la vitalité du jour, à la force du corps, à l'énergie !

Froide, tiède ou chaude ?

Une douche à l'eau froide (entre 8 et 10 °C) fortifie l'organisme, améliore la circulation sanguine et favorise l'élimination des toxines. Elle est néanmoins déconseillée si vous avez un système veineux fragile, si vous êtes très fatiguée ou souffrez de problèmes de santé du type problèmes cardiaques, hypertension, hypotension, etc.
Une douche à l'eau tiède (28 à 33 °C) calme.
L'eau chaude (34 à 38 °C) – à utiliser sur une courte durée – déstresse et atténue certaines douleurs. À éviter cependant si vous souffrez de maux de jambes, de problèmes cardiaques, de diabète, d'hypertension et également en cas de grossesse...
La panacée, c'est la douche écossaise. Vous commencez par vous laver à l'eau chaude ou tiède et vous vous rincez à l'eau froide. Douche ô combien énergisante, mais difficile à pratiquer toute l'année !

Travaillez vos triceps sous la douche. Effectuez des flexions du bras avec la pomme de la douche dans la main, en le descendant derrière la tête – un peu comme si vous vouliez vous gratter le haut du dos – puis remontez votre bras au-dessus de votre tête. Recommencez plusieurs fois.

Après la douche

⸱⸱⸱⸱⟩ Essuyez-vous avec une serviette chaude.

⸱⸱⸱⸱⟩ Massez votre corps avec une huile végétale d'amande douce ou de jojoba, de préférence biologique :

– L'huile de jojoba est obtenue par pression à froid des graines d'un arbrisseau appelé *Simmondsia chinensis*. C'est un excellent régulateur de la séborrhée.

– Si vous avez une « peau de serpent » particulièrement sèche et fragile, utilisez de l'huile d'amande douce, obtenue par pression à froid des fruits de l'amandier, arbre symbole de l'arrivée du printemps.

Les préparatifs
d'une bonne journée

S'habiller, un moment important

Changer de vêtements tous les jours apporte du renouveau et de la fantaisie. Choisissez la couleur qui colle le mieux à votre humeur du moment. Et pour vaincre le découragement de certains matins maussades et se mettre dans une énergie positive, portez du rouge, de l'orange, du jaune... N'oubliez pas que le noir vieillit !

Secouez ses vêtements

Débarrassons manteaux, imperméables, vestes de tailleur... de la poussière et des résidus de pollution avant de les ranger dans l'armoire. Ce geste de propreté au quotidien, inspiré du feng shui, contribue à l'activation et l'harmonisation des flux d'énergie qui nous environnent.

Aérer sa maison

De même, pour faire circuler une énergie stimulante, ouvrez vos fenêtres le plus souvent possible pour renouveler l'air de votre foyer. Vous éviterez ainsi de vivre dans un air confiné où l'énergie stagne. Profitez-en pour débuter votre journée par deux ou trois bouffées d'air frais, en vous installant quelques secondes sur votre balcon, dans le jardin ou à la fenêtre pour faire le plein d'énergie.

Arroser les plantes

Partant du principe que tout vit, il importe d'accorder une attention quotidienne aux plantes et aux fleurs qui ornent votre foyer : arroser quand il le faut, enlever les feuilles mortes, veiller sur leur santé, leur parler. N'est-ce pas le secret de ces personnes à la «main verte» qui obtiennent des merveilles avec leurs plantes ?

Ranger son entrée avant de partir

En quelques minutes, vous pouvez faire «peau neuve» en rangeant votre entrée afin de la rendre plus accueillante. Ôtez ce bibelot hideux devant lequel vous passez sans cesse et que vous vous promettez de jeter. Déplacez ce fauteuil qui vous gêne chaque fois que vous voulez ouvrir la porte-fenêtre du salon. Ou encore remplacez ce chapeau de lampe décrépi.

Selon Karen Kingston, spécialiste du feng shui, l'entrée du foyer «représente notre approche du monde vers l'extérieur et notre approche de la vie lorsque nous regardons vers l'intérieur». Il importe que cet espace soit agréable, dégagé et convivial pour attiser ce plaisir quotidien de vivre chez soi.

Vider les poubelles

Ce geste matinal permet de démarrer la journée dans une maison saine et débarrassée des déchets de la veille, avec une énergie renouvelée. Une façon de repartir à neuf !

Ménage éclair

De même, soignez l'esthétique, la propreté et l'ordre de vos pièces personnelles afin de partir légère à vos occupations et de rentrer le soir dans un lieu que vous aurez plaisir à retrouver.

Écouter de la musique au lieu de se brancher sur les infos

Loin de la saga des informations qui martèlent, dès notre réveil, notre esprit avec des chiffres toujours plus spectaculaires de morts, de blessés, de malades, de catastrophes, de chômeurs..., optez pour une musique mélodieuse, joyeuse, romantique, tonique ou une émission culturelle, selon votre tempérament, vos envies et vos goûts. Les informations nous entraînent dans un monde où la peur règne, où les pensées négatives détruisent la fraîcheur et l'ouverture au monde, indispensables pour commencer une bonne journée.

Sur le chemin du travail

Marcher d'un pas vif

« Mes pensées dorment si je les assois.
Mon esprit ne va que si mes jambes l'agitent ! »
Montaigne

Partir au bureau 10 minutes plus tôt et descendre à la station de métro ou de bus avant votre destination, cela n'exige pas de condition physique particulière. De bonnes chaussures suffisent. Vos escarpins en bandoulière et les mains libres, vous pourrez marcher d'un pas alerte.

La marche oxygène notre cerveau et réveille notre corps. C'est une action mécanique faisant appel à notre cervelet qui contrôle les automatismes. Notre système nerveux central, siège de nos pensées, est donc disponible. C'est pourquoi nos pensées vagabondent... au gré d'un regard que nous échangeons avec un passant, d'une conversation que nous entendons. C'est dans ce parcours tout à soi que s'élabore notre journée de travail et que notre mental s'active librement. Moment propice aux mises au point, aux nouvelles idées, aux solutions trouvées.

Prenez du plaisir à ce sport doux, économique et sans règle particulière, que vous effectuerez à votre rythme, de préférence rapide, tout en respirant calmement, profondément, sans saccades. Sachez que la vitesse doit être assez élevée pour amplifier votre travail musculaire. Inspirez tranquillement par le nez et expirez par le nez ou la bouche, le plus naturellement possible. Marcher d'un pas rapide permet de brûler des calories, d'améliorer la posture, de diminuer l'anxiété et le stress, de stimuler le système immunitaire... Une façon tonique de commencer votre journée de travail.

Si vous ne pouvez pas marcher le matin, choisissez un autre moment et marchez ne serait-ce que 10 minutes... Vous vous sentirez mieux dans votre tête et dans vos baskets.

Profitez des transports pour tonifier vos muscles et vous relaxer

Exercer ses muscles, et principalement ceux des jambes, en attendant le bus, le métro ou le taxi

En inspirant lentement, commencez par bouger vos orteils, puis contractez vos jambes, les fessiers, étirez le dos jusqu'aux épaules. Tendez vos bras le long de votre corps et contractez-les. Tenez ainsi quelques secondes, puis relâchez en expirant. Et recommencez 4 à 5 fois. C'est bon pour oxygéner votre sang et vous donner la pêche.

Travaillez le ventre, le dos, les épaules et les fesses dans le bus ou le métro

Tenez la barre des deux mains, les bras tendus et compressez-la tout en serrant les fesses et les abdos. Pensez à inspirer par le nez lentement quand vous contractez et expirer par le nez lorsque vous relâchez. Faites plusieurs séries de 20 secondes.

Le yoga des yeux

Pour stimuler les muscles de vos yeux et les nerfs optiques, dans le bus, dans le métro, dans le taxi, sans bouger la tête, faites des cercles avec vos yeux de gauche à droite et de droite à gauche, puis des diagonales en partant de la gauche jusqu'en bas à droite et inversement. Dessinez des lignes perpendiculaires et des lignes horizontales. Louchez, tentez d'élargir le plus possible votre champ de vision, puis regardez très loin...

À renouveler 3 ou 4 fois, en gardant les yeux ouverts ou fermés selon votre envie ou les circonstances! Vos voisins pourraient en effet s'étonner de vos regards pour le moins énigmatiques!

En voiture, à chaque feu rouge, tonifier sa poitrine

Placez vos mains de part et d'autre de votre volant, puis poussez sur vos bras comme si vous vouliez les rapprocher l'un de l'autre. Maintenez cette position 10 secondes et relâchez 5 secondes. Réitérez l'exercice tant que le feu est rouge. Excellent pour tonifier la poitrine et les épaules.

À l'arrêt, raffermir ses abdominaux et ses bras

Serrez fort le volant tout en contractant les abdos. Maintenez le dos bien enfoncé dans votre siège et les bras tendus. Conservez cette position plusieurs minutes avec une respiration lente et progressive. Souriez en étirant votre bouche au maximum de chaque côté pour tonifier les muscles du cou.
Inspirez 5 secondes, en conservant cette position quelques secondes, et expirez 5 secondes en relâchant.

Et pour vous détendre en voiture, faites des grimaces

Cela détend les muscles du visage et du cou. Chantez! Ou criez aussi fort que vous le pouvez, vous vous libérerez de vos tensions. Inspirez tranquillement et criez en expirant.

Tout au long de la journée

Boire pour hydrater son corps

Notre corps est constitué d'environ 70 % d'eau. Si cette proportion baisse, nous nous sentons alors fatiguée et mal dans notre peau. C'est pourquoi il importe de boire tout au long de la journée pour éliminer nos toxines et purifier notre corps. Véritable régime de beauté et de vitalité, l'eau participe aux apports énergétiques en oligo-éléments de notre organisme et favorise la bonne assimilation des aliments grâce aux enzymes qu'elle transporte. Au fil des années, notre corps se déshydrate, soyons donc vigilantes !

Que boire ?

Optez pour une eau plate et tempérée, car l'eau froide, glacée ou trop chaude fatigue l'appareil digestif. Alternez et variez le plus possible les eaux minérales et les eaux de source, sans négliger l'eau du robinet qui, dans la plupart des cas, est parfaitement équilibrée en minéraux. Afin d'éviter les désagréments du chlore ajouté dans l'eau pour sécuriser son transport, mettez-la quelques heures au frais dans une carafe. De surcroît, vous ferez des économies. Enfin, évitez de boire régulièrement des eaux gazeuses qui provoquent des ballonnements.

Quelle quantité par jour ?

À ce sujet, les avis sont divers et variés. La quantité recommandée varie de 5 à 8 verres par jour, voire plus si vous êtes très active ou s'il fait chaud. Écoutez avant tout ce que votre corps vous dicte. Si vous préférez, à certains moments, boire une tisane de thym, de verveine, de camomille, d'ortie piquante, de tilleul, etc., eh bien, faites-le sans vous obliger à atteindre votre quota de 5 verres par jour ! Attention, ne comptez pas le café, le thé noir et les boissons sucrées dans ces 5 verres.

Quand ?

Privilégiez votre premier verre d'eau à jeun pour « rincer » votre organisme. Puis buvez de préférence entre les repas et avant le dîner pour éviter d'être réveillée par des envies pressantes au cours de la nuit.

Comment ?

Buvez dans un verre, lentement, par petites gorgées, avec délectation et la conscience que vous vous faites du bien en absorbant cette boisson purifiante.

L'antistress au quotidien

Le bon stress, nous le connaissons toutes, il nous stimule, nous dynamise, nous oblige à nous dépasser, nous encourage à nous lancer des défis et à sérier nos priorités. Tant que nous restons dans l'équilibre, il nous apporte de l'énergie. Mais lorsque cet équilibre est menacé, le stress devient notre pire ennemi.

Des techniques de détente permettent de faire barrage à la pression du monde extérieur ou de mieux y répondre. Une séance d'une heure de yoga ou bien une marche dans la forêt sont extrêmement bénéfiques pour l'organisme. Mais qui peut se permettre d'inclure l'une ou l'autre régulièrement dans sa journée de travail ? Il importe d'apprendre à gérer son stress au quotidien avec des techniques rapides et faciles à mettre en œuvre. En voici quelques-unes qui vous aideront à lutter régulièrement contre ces pressions extérieures et qui ne vous prendront pas plus de 10 minutes.

Libérer ses bâillements

La politesse nous enseigne nos devoirs envers les autres et le contrôle de soi qui ne riment pas toujours avec notre bien-être physique. Nous avons ainsi toutes appris à retenir notre bâillement en public et – s'il nous échappe – à le cacher d'un geste protecteur. Or bâiller de fatigue, de détente, de sommeil, de faim ou d'ennui, c'est bon pour notre santé, ça libère notre corps des énergies négatives ! Ne vous en privez pas.

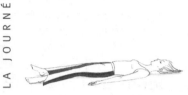

La relaxation éclair
Parce que vous n'avez pas toujours
le temps nécessaire pour une relaxation
complète, apprenez à vous détendre
en quelques minutes.
Allongez-vous sur le sol ou votre lit, les
bras et les jambes légèrement entrouverts,
les pieds, les mains, la nuque et les
muscles relâchés, comme une poupée de
chiffon étendue immobile sur le sol. Une
ou deux respirations profondes dans cette
position procurent un grand relâchement.

Se concentrer sur ses plantes de pieds

Durant une courte pause de quelques secondes seulement, concentrez
toute votre attention sur vos plantes de pieds, cette partie du corps
qui vous relie à la terre, au concret, à vous-même.

Sentez bien le poids de votre corps sur le sol ainsi que le contact de vos
collants, de vos chaussettes avec vos chaussures ou avec le sol, votre
position dans vos chaussures... Cet exercice, excellent antistress, ralentit
le rythme cardiaque et, vous ancrant dans le sol, favorise votre équilibre
face aux événements de la journée. À faire 2 ou 3 fois par jour !

S'amuser en travaillant

Ou comment améliorer chaque situation en décidant de vous distraire
en faisant les choses.

L'humour, un sourire donnent de l'énergie pour travailler. Les tâches
s'accomplissent avec plus d'aisance, de légèreté et d'efficacité. J'ai
souvent observé que les réunions professionnelles empreintes
d'humour et de légèreté sont les plus productives. Être sérieux ne veut
pas dire se prendre au sérieux.

Ainsi connectée à votre imagination et reliée au moment présent,
l'énergie circule mieux dans votre corps avec des effets bénéfiques
sur le plan psychologique et émotionnel. Et vous êtes plus efficace !

Une cure d'eau froide chez soi

Pendant la douche du matin, un ruissellement d'eau froide sur les
cuisses relaxe énormément.

Cette méthode datant de 150 ans nous vient de l'abbé Kneipp,
d'origine allemande. Atteint de tuberculose, déclarée incurable par
ses médecins, il s'est autosoigné à l'eau froide. Et c'est ainsi qu'il a

guéri ensuite ses nombreux patients. Sa méthode toute simple revisite l'art du bain et de la douche avec un effet très relaxant.

Comment faire ? Réglez la pomme de douche sur la pluie la plus douce. Dirigez le jet de biais, sur les cuisses, à environ 10 centimètres de la peau, le temps que l'épiderme rougisse.
La température de la pièce doit être élevée et les autres parties du corps doivent être couvertes, afin de ne pas attraper froid. Une fois la peau rougie, ne vous essuyez pas, séchez-vous en agitant les bras ou les pieds pour produire de la chaleur et prolonger quelques secondes la réaction de l'organisme.

Microsieste, maxi-relaxation !

« Mes siestes… durent parfois près de deux heures,
sans préjudice aucun, pour le long sommeil de la nuit. »
André Gide

La sieste n'a pas bonne presse chez nous. Plaisir d'antan réservé aux paresseux ou véritable institution dans les pays chauds… Et pourtant, quel bonheur de s'extraire pour un court instant du tumulte et de se recharger en énergie ! De nombreux témoignages confirment une baisse de vigilance en début d'après-midi. Contrairement aux idées reçues, cette baisse d'énergie n'est pas due à la digestion – excepté quand le repas a été très copieux – mais à des mécanismes endogènes, régulés par notre horloge biologique. « L'être humain est génétiquement programmé pour avoir tendance à s'endormir vers 14-15 heures », précise Michel Tiberge, neurologue au Centre du sommeil de Toulouse. Il est donc recommandé de faire une pause à ce moment-là, aussi courte soit-elle, afin de respecter son rythme biologique fondamental.

Cinq à dix minutes de sieste permettent de réduire le stress et d'en récolter les bienfaits sur de nombreux plans : physique tout d'abord, mais aussi psychologique et mental.
Cette petite coupure de début d'après-midi vous aidera aussi à mieux dormir la nuit !
Une courte pause à pratiquer dans diverses postures : allongée, semi-allongée, voire assise. Il est plus facile de commencer par la position allongée. Puis, lorsque vous aurez acquis les mécanismes, vous pourrez

alors le faire dans les autres positions. Entraînez-vous à vous assoupir dans le métro, dans le bus, dans le taxi, au bureau, à la maison.

Mettez-vous à l'aise, basculez votre téléphone sur messagerie ou éteignez votre portable, fermez les yeux et effectuez une respiration abdominale.

····⟩ **Inspirez profondément par le nez :** en emplissant d'air votre ventre, puis votre cage thoracique. Dans un premier temps, je vous conseille de poser les deux mains sur votre abdomen pour sentir ce gonflement progressif. Suspendez alors quelques secondes votre respiration en contractant fortement tous vos muscles et expirez par la bouche ou par le nez, en commençant par le ventre. Vous pouvez appuyer sur la partie ventrale, vider ensuite le milieu et enfin le haut des poumons. Recommencez 2 ou 3 fois jusqu'à ce que vous sentiez vos membres lourds et complètement inertes. Concentrez-vous alors sur votre respiration tranquille et la détente qui envahit progressivement votre corps. Cette prise de conscience du corps favorise l'abandon du mental pour quelques minutes, que le sommeil vous gagne ou pas. Puis, revenez peu à peu à la réalité en bougeant progressivement vos membres.

····⟩ **Si vous disposez de quelques minutes supplémentaires,** vous pouvez, en plein relâchement, vous échapper dans un lieu de rêve, recréer une situation agréable avec la ou les personnes de votre choix et ainsi vous recharger de plaisir, d'amour ou de bien-être ! Ou encore, avant de participer à une réunion ou à un rendez-vous importants, vous imaginer dans le rôle qui vous permet de maîtriser parfaitement la situation à venir. Cela vous donnera des ailes !

Sculpter sa ligne sans y penser !

Les escaliers plutôt que l'ascenseur

Pour avoir des jambes sveltes, hissez-vous sur la pointe des pieds pour gravir les escaliers.

La respiration doit rythmer votre ascension. Inspirez sur 4 temps en montant vos marches et expirez sur le même temps en gravissant les 4 marches supplémentaires. Petit à petit, vous augmenterez vos temps d'inspiration et d'expiration jusqu'à 10 secondes environ, sans fatigue. Ou bien montez les marches 2 par 2, une fois lentement et une fois rapidement, en poussant bien sur vos jambes. Cet exercice permet de muscler vos fessiers. Et si vous les gravissez 2 par 2 sur la pointe des pieds, vous faites travailler les mollets et les cuisses !

MARCHER SUR LA POINTE DES PIEDS

Pour muscler mollets, abdos et fessiers, effectuez vos petits déplacements sur la pointe des pieds en serrant bien fesses et abdominaux et gardez cette position le plus longtemps possible.

Recommencez l'exercice plusieurs fois dans la journée.

···⟩ **Recommandation :** gardez la colonne vertébrale bien droite. Ne vous cambrez pas.

DES FESSES PLUS FERMES

Que vous soyez debout ou assise, contractez vos fessiers une dizaine de fois par jour. Maintenez cette contraction pendant 30 secondes.

Faites-le 3 minutes d'affilée au moins 3 fois par jour. Vous musclerez ainsi en douceur le grand fessier sous lequel se situe un coussinet graisseux qui donne une allure tombante aux fesses. Des résultats seront visibles au bout de 4 à 5 semaines, si vous le faites régulièrement.

PROFITER DES TÂCHES MÉNAGÈRES POUR GALBER SON CORPS !

Évitez de courber l'échine pour ramasser les objets traînant sur le sol, mais accroupissez-vous en gardant la colonne vertébrale droite, plusieurs fois de suite.

Passez l'aspirateur en transformant cette corvée en jeu d'escrime. Mettez-vous sur la pointe des pieds, fléchissez vos jambes en position d'escrimeur. Avancez la jambe droite, en maintenant la jambe gauche en arrière.

Tendez votre bras en tenant l'aspirateur en avant, comme si vous pointiez votre épée, et levez en arrière l'autre bras. Puis, si vous le pouvez, changez de bras.

Cet exercice est excellent pour fuseler vos cuisses.

Faire travailler ses muscles en repassant. Les pieds en canard, écartez les jambes et fléchissez-les. Plus vous descendrez votre bassin, plus l'exercice sera difficile. Les muscles des cuisses et des fesses seront ainsi à l'œuvre. Maintenez la position plusieurs minutes.

·····> **Recommandations :** respirez tranquillement. Gardez le dos bien droit et contractez le ventre.

Jouer avec son balai pour muscler ses épaules !

·····> **Position de départ :** posez vos mains sur les deux extrémités du balai. Pieds en canard, écartés d'une largeur supérieure à vos hanches pour que vos fessiers soient bien contractés.

Inspirez.

·····> **Mouvement :** en expirant, montez le balai sans fléchir vos bras jusqu'à l'arrière de votre dos.

Cet exercice vous apportera de la prestance et de l'aisance dans votre posture.

Retrouver sa stabilité

« Le corps doit être libre de toute irrégularité au repos comme en mouvement. »
Marc Aurèle, empereur romain du IIe siècle

Difficile d'avoir la bonne posture de nos jours

Notre posture évolue avec le temps. De nouvelles habitudes de vivre et de consommer ont modifié notre façon de nous tenir. De plus en plus de personnes travaillent assises, le plus souvent le dos voûté ou courbées devant leur ordinateur.

Nous utilisons notre voiture pour un oui pour un non, et négligeons la marche à pied, excellente pour notre corps et le développement harmonieux de nos muscles. Plébiscitons la marche sportive où nous respirons tranquillement, les bras ballants, bien chaussées, la tête redressée, le regard haut...

Nos enfants portent des chaussures qui ne les incitent pas non plus à bien se tenir. Il est loin le temps où l'on obligeait les jeunes filles à se tenir droite avec une barre dans le dos.

Je me souviens que ma grand-mère paternelle, ex-directrice d'un institut ménager pour jeunes filles, me l'imposait dès qu'elle me surprenait affalée sur une chaise.

Il est cependant vrai qu'une posture naturelle importe bien plus qu'un dos droit. Il s'agit dans un premier temps de prendre conscience de son corps, de s'ouvrir à soi, à la vie, au lieu de contracter ses muscles, de courber l'échine face au stress et aux difficultés que nous rencontrons. Pour lutter contre cet inconfort, je vous propose 3 exercices simples extraits du livre de Trevor Blount et Eleanor McKenzie sur la gymnastique du bien-être, pour retrouver votre posture naturelle dans les diverses positions de votre vie.

Bien se tenir debout

– C'est, tout d'abord, sentir ses pieds reposer sur le sol, légèrement écartés dans le prolongement des hanches, ainsi que le poids de son corps au milieu de chaque pied.
– S'assurer que ses jambes et ses pieds regardent droit devant soi.
– Les jambes sont droites et les genoux souples.
– Les bras pendent le long du corps et reposent naturellement sur la face latérale des cuisses.

Bien assise

– Choisissez en premier lieu une chaise ou un siège qui soutiendra correctement votre dos.

– Vos cuisses doivent reposer entièrement sur le siège. Votre dossier doit être à la hauteur de vos omoplates. Si vous vous asseyez sur un tabouret, pensez à redresser votre dos.

– Les pieds sont posés à plat sur le sol. Évitez de croiser les jambes car cette position bloque votre énergie.

– Votre poids est distribué équitablement entre le corps et les pieds.

La bonne position pour dormir

– Abandonnez les positions qui vous font souffrir à la longue. Dormir sur le ventre ou les jambes repliées sont des positions courantes. Or, elles ne sont pas bonnes pour la colonne vertébrale qui n'est pas soutenue dans la première position et tordue dans l'autre.

– Essayez plutôt de dormir sur le côté ou sur le dos. Si vous êtes enceinte et que votre dos vous fait souffrir, allongez-vous sur le côté en plaçant un coussin entre vos jambes.

– Un oreiller doit suffire pour maintenir totalement le cou. Il faut en effet éviter toute tension inutile sur les muscles du cou.

Au travail

Exercer ses muscles en douceur

Ces quelques exercices élémentaires vous aideront à décontracter votre corps au cours d'une journée de travail et à détendre votre esprit pendant quelques minutes. Jean-Pierre Clemenceau, professeur de gymnastique et coach de nombreuses stars, les a globalement validés. Une parenthèse pour vous centrer sur vous-même en focalisant votre attention sur votre corps et votre respiration.

DES EXERCICES EN POSITION ASSISE

Fortifier ses abdos

┈┈> **Position de départ :** les fesses au fond du siège, les jambes à angle droit, pieds parallèles bien ancrés dans le sol, inclinez légèrement votre buste, les bras étirés dans le prolongement de la tête, les doigts croisés. Inspirez par le nez.

┈┈> **Mouvement :** expirez en vous penchant en avant, et gardez la position 1 à 2 minutes en respirant normalement.

┈┈> **Recommandations :** évitez de cambrer le dos et de remonter la tête. Cet exercice est un excellent antistress.

Étirer les muscles de la taille, les épaules et les muscles dorsaux

┈┈> **Position de départ :** assise, jambes écartées pour être bien stable. Posez la main droite sur la cuisse droite, bras gauche fléchi au-dessus de la tête à angle droit. Inspirez.

┈┈> **Mouvement :** expirez en descendant doucement sur le côté droit. Tenez la position pendant 1 minute. Puis changez de côté.

·····> **Recommandations :** expirez en basculant sur le côté. Pensez à serrer les fesses et à rentrer le ventre. Le biceps doit rester collé à l'oreille, vous ne devez pas voir votre bras. Évitez de pencher le buste en avant.

Tonifier les cuisses avant et arrière

·····> **Position de départ :** le dos bien droit, calé au dossier.

·····> **Mouvement :** levez une jambe à l'horizontale, pointe de pied ramenée vers vous, de façon à ce que votre pied forme un angle droit avec votre jambe. Faites des mouvements de bas en haut en conservant la jambe droite.

Serrez les fesses et le ventre. Expirez pendant l'effort. Faites 3 séries de 10 mouvements avec chaque jambe.

Faire travailler les muscles des jambes

·····> **Position de départ :** assise sur une chaise, posez votre pied droit sur une chaise face à vous, l'autre pied restant au sol.

·····> **Mouvement :** inspirez par le nez en prenant votre pied droit dans la main droite. Expirez en descendant le buste en avant et en tirant le pied vers vous. Tenez le mouvement environ 15 secondes puis changez de jambe.

·····> **Recommandations :** gardez votre jambe bien tendue et le buste droit, serrez la sangle abdominale et poussez le ventre et la poitrine en avant en gardant bien la tête dans le prolongement du corps. Évitez d'arrondir le dos et de forcer avec les épaules.

Excellent exercice pour faire travailler vos mollets et l'arrière de vos cuisses.

À FAIRE DEBOUT

Raffermisser les triceps

····⟩ **Position de départ :** saisissez une bouteille d'eau et tenez-la d'une main derrière votre épaule.

····⟩ **Mouvement :** faites 3 séries de 15 flexions en levant l'avant-bras jusqu'au-dessus de la tête et en le repliant. Expirez pendant l'effort. Changez de bras.

····⟩ **Recommandations :** tenez votre dos bien droit et collez votre biceps sur l'oreille. Faites le mouvement sans forcer et lentement.

Muscler cuisses et abdos

····⟩ **Position de départ :** dos plaqué contre un mur, jambes parallèles légèrement écartées.

····⟩ **Mouvement :** fléchissez un peu les genoux et basculez le bassin en avant afin de plaquer la colonne vertébrale contre le mur. Inspirez en montant les bras en l'air, collés au mur. Restez dans cette position 1 à 2 minutes. Et expirez pendant l'effort, c'est-à-dire en gardant la position.

····⟩ **Recommandation :** cet exercice est à faire sans forcer.

Tonifier la poitrine

····⟩ **Position de départ :** Bien stable sur vos deux pieds, bras tendus, attrapez une barre ou un pilier. Mettez les mains de chaque côté et inspirez.

····⟩ **Mouvement :** Serrez la barre le plus possible en contractant le ventre et les fesses, tout en expirant. Tenez la position durant 20 secondes. Recommencez cet exercice 3 fois. Cet exercice est également bon pour le dos et les épaules.

Développez vos triceps

···> **Position de départ :** prenez appui sur un meuble avec vos mains, pieds légèrement écartés de la largeur des hanches, jambes fléchies, coudes parallèles.

···> **Mouvement :** faites une série de flexions en descendant le bassin à la verticale. Allez au maximum de l'amplitude en fonction de vos possibilités. Faites 3 séries de 10.

···> **Recommandations :** gardez la colonne vertébrale bien droite et surtout ne forcez pas.

Faire travailler ses épaules et son dos

···> **Position de départ :** jambes écartées, posez les mains sans fléchir les coudes sur un bureau ou sur une table, le dos bien plat. Inspirez.

···> **Mouvement :** en expirant, poussez la poitrine vers le sol pour étirer les épaules et le bas du dos. Maintenez la position 1 minute.

···> **Recommandation :** serrez les abdominaux et gardez le dos bien plat, la tête dans le prolongement du corps.

Instaurer des pauses

Nous avons tendance à surcharger nos possibilités physiologiques, physiques, psychiques au cours de la journée. C'est pourquoi une pause de quelques minutes va vous permettre de créer un sas de récupération, indispensable à votre ressort vital.

Marcher entre deux réunions, pour résoudre un conflit ou si on se sent épuisée…

Vous avez sûrement ressenti, au cours d'une journée stressante, cette pesanteur qui s'abat soudainement sur vous : plus d'énergie, les neurones flapis et l'envie irrésistible de rentrer chez vous. C'est le moment de sortir pour une marche rapide ou simplement pour flâner quelques minutes. « Marcher, c'est penser. » Par ce simple déplacement, nous prenons conscience de notre corps, de notre esprit, de soi et des autres. Dans *Le Cercle des poètes disparus,* film de Peter Weir, le professeur interprété par Robin Williams propose à ses élèves de monter sur leur bureau pour prendre de la hauteur, élargir leur champ, changer d'angle de vue… Ce simple déplacement dans l'espace va transformer leur point de vue.

Eh bien, la marche, c'est ce décalage qui vous fera voir les choses autrement, qui vous révélera tel aspect que vous ne voyiez pas. Cette courte pause dynamique vous aidera à prendre du recul sur une décision à prendre, un projet à mûrir ou une question à résoudre.

S'isoler quelques instants, avant un rendez-vous important ou toute activité qui demande de la concentration

Offrez-vous quelques minutes de détente dans votre bureau, fermez la porte ou retirez-vous dans une pièce plus tranquille, débranchez le téléphone et relaxez-vous. Faites quelques respirations profondes dans la position que vous souhaitez : debout, assise, allongée, si le lieu vous le permet, et concentrez-vous sur votre respiration. Comme si vous vous retiriez dans une maison intérieure, coupée pour quelques instants du monde extérieur.

Rentrer dans sa coquille procure une chaleur douillette qui favorise le lâcher-prise et permet de repartir avec une nouvelle vitalité et une plus grande ouverture aux autres.

Se frotter les oreilles

Les Orientaux considèrent que les oreilles recèlent des points de pression agissant sur notre organisme complet. Cet exercice apporte une sensation de bien-être général et favorise la concentration. Massez vos oreilles en suivant le contour de vos lobes et tirez la pointe de vos oreilles en arrière. Vous ressentirez aussitôt un afflux de sang et une détente immédiate. À faire 2 ou 3 fois.

Détendre ses mains

Tout d'abord posez vos mains devant vous de façon totalement détendue, paume face à vous « en coquille ». Puis passez-les en revue en commençant par le pouce, l'index, le majeur, l'annulaire, l'auriculaire de la main droite, la paume, le dos de la main, et effectuez le même parcours avec la main gauche. Pensez également aux lignes de la main. Ce qui importe, c'est de bien prendre conscience de ces zones. Ressentir, c'est laisser remonter la sensation du corps vers la tête et non pas l'inverse.

AVANT UNE RÉUNION, UN EXERCICE DE SOPHROLOGIE APPORTE DÉTENTE ET CONCENTRATION

Ce court exercice facile à accomplir en toutes circonstances permet de retrouver le tonus musculaire et l'énergie nécessaires à notre activité. Le docteur Yves Davrou, médecin et sophrologue, le propose d'ailleurs comme l'une des premières étapes pour qui veut s'initier à la sophrologie.

Enfermez-vous dans votre bureau ou dans une pièce tranquille et commencez par fermer les yeux en respirant tranquillement. Il s'agit de se relâcher complètement en ressentant bien chaque zone du corps.

Serrez le poing de la main droite en contractant les muscles de l'avant-bras... sans raidir l'autre main. Le reste de votre corps doit être détendu. Puis relâchez complètement votre main et un peu plus tout votre corps. Diverses sensations se manifestent : des fourmillements, de la pesanteur, de la légèreté, de la chaleur, des picotements, de l'engourdissement... Apprenez à les nommer et à comparer ce que vous ressentez avec le reste du corps. À pratiquer 3 fois en marquant une pause entre les contractions.

Cette détente physique et mentale vous plonge progressivement dans votre monde intérieur au fur et à mesure que votre niveau de vigilance baisse.

Puis refaites le même exercice 3 fois avec l'autre main en respectant les pauses entre chaque contraction.

Enfin, effectuez 2 respirations abdominales profondes et remuez l'ensemble du corps en bougeant les pieds, puis les jambes, le dos et les bras. Étirez-vous comme si vous sortiez d'une sieste, avant d'ouvrir les yeux.

Ne rien faire pendant 10 minutes

C'est sûrement l'exercice le plus difficile à réaliser. 10 minutes de paresse complète pour recharger vos batteries, alors que vous avez dix mille choses à faire en même temps ! Eh bien oui, c'est possible et extrêmement réparateur pour l'organisme et le mental. S'octroyer un moment rien qu'à soi pour rêver, pour penser à quelque chose d'agréable, pour se tourner les pouces sans culpabiliser apporte de l'apaisement et du plaisir.

FAIRE LE CHIEN, MUSEAU FACE AU CIEL

Cette posture de yoga décontracte le dos et stimule les fonctions des organes digestifs de l'abdomen. Elle améliore également l'équilibre psychique, développe la concentration, la résistance au stress et la confiance en soi.

····⟩ **Position de départ :** couchée sur le ventre, les jambes tendues et jointes.

····⟩ **Déroulement de la technique :** pointez en arrière les pieds en prenant appui sur les orteils. Fermez les yeux et écartez les pointes des pieds d'environ 25 centimètres l'une de l'autre.

Posez les mains au sol à côté des hanches, les doigts dirigés en avant. Le menton conserve pour l'instant le contact avec le sol.

····⟩ **Faites une inspiration puis,** au cours de l'expiration, soulevez votre buste en vous appuyant sur les bras. Tendez-les et, en même temps, rejetez la tête en arrière aussi loin que possible. La poitrine poussée en avant, évitez de voûter les épaules.

····⟩ **Toujours en appui sur vos orteils,** décollez les genoux du sol et en gardant les membres inférieurs joints et droits. Veillez à ce que la colonne vertébrale, les mollets et la partie postérieure des membres supérieurs soient fortement étirés et à ce que les fesses soient serrées.

····⟩ **Maintenez la position** pendant 1 minute au moins en adoptant un rythme respiratoire libre.

····⟩ **Repliez les coudes,** détendez-vous et reprenez la position initiale.

Se relaxer avec une pièce de monnaie

Bien calée dans un fauteuil ou une chaise, prenez une pièce de monnaie dans une main. Faites 3 respirations abdominales complètes et, sur la troisième expiration, laissez tomber la tête et les bras. Restez dans cette position immobile jusqu'à ce que les muscles des bras et des mains se relâchent complètement et que la pièce frappe le sol. Il se peut même que vous dormiez quelques secondes.

Cette pause express est idéale pour se ressourcer et relancer son tonus. Picasso la pratiquait tous les jours avec une petite cuillère dans la main. Le bruit de la cuillère heurtant le sol lui donnait alors le signal du réveil.

LES BONS RÉFLEXES FACE À L'ORDINATEUR

⤑ **Le palming, pour celles qui passent de longs moments devant leur écran informatique!** Faites une pause de 5 minutes toutes les heures pour reposer votre vue.

Frottez vos mains énergiquement jusqu'à ce que vous ressentiez une forte sensation de chaleur. Puis mettez vos mains en coupelle et appliquez délicatement vos paumes devant les yeux. Ce geste détend et revitalise le nerf optique.

⤑ **Une bonne position devant l'ordinateur** Pour toutes celles qui utilisent leur ordinateur quotidiennement, une bonne position vous évitera des tensions dans la nuque et des problèmes de dos.

⤑ **Votre assise** Installez-vous bien droite sur une chaise confortable en réglant votre siège à la bonne hauteur de manière que vos genoux et vos coudes forment des angles droits. Une fois installée au fond de votre siège, vérifiez que votre dos est bien droit.

⤑ **L'écran** Placez votre écran à environ 90 centimètres de votre visage, le haut de votre écran devant être à la hauteur de vos yeux. Si vous travaillez plus de 2 heures sur votre ordinateur, votre écran doit être dans l'axe du clavier.

⤑ **Le clavier** Alignez vos doigts, poignets et avant-bras face au clavier, comme s'il était le prolongement de vos bras. Vous devez pouvoir poser les avant-bras devant le clavier.

⤑ **L'éclairage** Un bon éclairage est nécessaire pour lire confortablement, la source de lumière devant arriver sur le côté de l'écran.

⤑ **Précautions écologiques astucieuses** Pour vous protéger des rayonnements électromagnétiques, éloignez de vous les périphériques (imprimante, unité centrale, scanner...) et transformateurs (pour calculatrice, répondeur...) d'au moins 1 mètre. Connectez votre ordinateur à une prise de courant équipée d'une fiche de raccordement à la terre.

Ou plus amusant, utilisez un petit peigne ordinaire que vous collerez au-dessus ou sur le côté de l'ordinateur, avec une pâte à fixe, les dents du peigne vers l'arrière de l'écran et le dos du peigne vers l'avant. Cela élimine 90 % des rayonnements.

Vous pouvez également placer derrière votre ordinateur un cactus qui absorbera toutes ces ondes.

Être efficiente

*Faire une bonne chose vaut cent fois plus
que faire bien toutes les choses !*

En arrivant, organiser sa journée de travail en moins de 10 minutes

Organisation vient d'*organon* qui signifie « harmonie » (voir le mythe de Cronos dans *La Théogonie* d'Hésiode, poète grec né vers 730 avant Jésus-Christ). Cela induit que gérer intelligemment votre temps apporte l'harmonie dans votre vie.

Avoir du temps, c'est votre principal capital. On ne peut, en effet, ni l'arrêter, ni l'économiser, ni l'acheter, mais seulement mieux le gérer !

┈┈⟩ Commence z par dresser une liste de tâches à accomplir.

┈┈⟩ Définissez ensuite les priorités en distinguant bien l'importance de l'urgence.

┈┈⟩ Évaluez le temps nécessaire à l'accomplissement de chaque tâche. « Que se passera-t-il si j'ai deux fois moins de temps pour accomplir telle tâche ? »

┈┈⟩ Démarrez sans remettre au lendemain ce que vous pouvez faire le jour même et en effectuant les tâches par ordre décroissant d'importance. Vous le savez, les accomplir procure un sentiment de soulagement.

Travailler mieux en produisant moins d'effort

*« La pauvreté, c'est le maximum d'effort
pour le minimum de résultat.
La richesse, c'est le minimum d'effort
pour le maximum de résultat. »*
Abraham Lincoln

Selon la loi des 20/80, on peut dire que 20 % de l'effort produisent 80 % du résultat. Ainsi, tout ce qui n'est pas indispensable est inutile. La question à se poser est : « En quoi cette tâche me permet-elle d'atteindre mon objectif ? » ou bien : « Quel est le meilleur usage de mon temps ce mois-ci, cette semaine, aujourd'hui, maintenant ? »

On n'excelle que dans ce que l'on aime

Il importe de ne jamais oublier votre but, de mettre régulièrement en perspective votre travail et votre objectif personnel, de façon à rester centrée sur votre projet de vie. La question à se poser alors est : «Cette tâche sert-elle mon objectif?» ou bien : «Est-ce que j'aime ce que je fais?» ou encore : «Est-ce que ce travail sert mon projet de vie?» Le plaisir d'agir et de servir votre projet est essentiel pour trouver un équilibre. Enfin, pensez à la satisfaction du travail accompli.

Exit les pense-bêtes, priorité à l'agenda

Nos écrans d'ordinateur ou tableaux d'affichage sont souvent recouverts de pense-bêtes sur lesquels figurent toutes les choses en cours, tâches à accomplir, rendez-vous à prendre, appels téléphoniques à passer. Cela encombre notre esprit. Il est souvent plus facile et efficace de noter toutes ces résolutions sur un agenda papier ou électronique, à la date concernée, de préciser les tâches accomplies ou de reporter celles qui n'ont pas pu être exécutées le jour même.

Noter toutes ses idées

De même, libérons notre esprit en notant chacune de nos idées au fur et à mesure qu'elles nous viennent. J'ai toujours sur moi un carnet dans lequel je note tout ce qui me vient à l'esprit. Cela me libère la tête pour avoir d'autres idées et cela m'est utile lorsque j'ai un oubli!

Le «mind mapping» à la rescousse d'une décision à prendre

Cette méthode, fondée sur le principe de la «pensée irradiante», consiste à écrire un mot ou un dessin au centre d'une feuille, à utiliser de préférence dans le sens de la largeur.

Vous lui associez spontanément d'autres mots, donnant ainsi naissance à diverses branches, à partir desquelles vous pourrez établir des connexions avec d'autres mots. Prenons l'hypothèse que vous n'arrivez pas à vous décider sur vos prochaines vacances d'été. Commencez par jeter sur votre feuille les mots «vacances d'été», puis définissez plusieurs possibilités, comme par exemple «mer», «étranger», «rester à la maison», «partir avec les enfants», «partir seule», etc., et rattachez à ces suppositions d'autres mots. Suivez vos envies en variant les couleurs, les caractères, les lignes reliant ces différents mots et laissez parler vos sens. Tous les mots évoquant l'odorat, l'ouïe, le toucher, le goût, la vue sont les bienvenus pour servir votre carte!

Cet exercice créatif facilite dans certains cas la prise de décision, la réorganisation d'un service dans une entreprise, la présentation d'un exposé, la préparation d'un discours, le résumé d'une situation...

Pratiquer la vision gagnante pour convaincre un client important

Le simple fait d'imaginer que tout va aller de travers avant un rendez-vous suffit parfois à produire des effets dévastateurs. Car ce que vous «anticipez» est aussi «vrai» que ce que vous vivez réellement. Le scénario catastrophe vous fait perdre vos moyens, si bien que votre motivation et votre capacité à vous concentrer fléchissent. Nous le savons, nos perceptions agissent sur nos performances. Les grands champions l'ont compris depuis longtemps : c'est pourquoi ils ont recours à la visualisation positive. Imaginez la scène ou la tâche que vous voulez réussir et projetez-la mentalement de la façon la plus détaillée possible avec une issue très positive. Cela produit des miracles.

Visualiser des scènes humoristiques dans les situations tendues

Se représenter son patron en caleçon lorsqu'il fait une remarque cinglante, s'imaginer que les cadres participant à une réunion houleuse ne sont autres que les sept nains en train de débattre sur le sort de Blanche-Neige, ou que votre collègue à l'allure de pimbêche ressemble étonnamment à la sorcière de Babette Cole, héroïne désopilante et chère à ma fille cadette Clémence... Cela peut vous permettre de prendre du recul sur une situation et de rester zen.

Avant de partir, ranger notre bureau

En fin de journée, votre espace de travail est souvent totalement envahi par des tonnes de papier et des dossiers qui s'empilent. Prenez l'excellente habitude de conclure votre journée de travail en rangeant votre bureau, afin de commencer votre activité, le lendemain, dans un lieu accueillant. Une table nette stimule votre productivité et favorise votre créativité.

Bichonner ses repas

Bien manger : quelques règles à suivre et à transgresser !

Il est difficile de reconnaître, dans ce foisonnement de régimes *a priori* tous plus efficaces les uns que les autres et souvent contradictoires, ce qui nous convient le mieux en matière d'alimentation. Les tendances varient en fonction des saisons, de la mode, de notre culture, des habitudes familiales... De tout ce que j'ai pu lire et entendre sur le sujet, j'ai extrait quelques principes d'alimentation simples, efficaces, communs à plusieurs cultures et ayant fait leurs preuves au fil des siècles. Je vous invite surtout à y réfléchir, car l'alimentation est avant tout une affaire personnelle. Les quelques règles suivantes me paraissent fondamentales pour bien manger.

De la régularité

– Faites 3 repas par jour, si possible à heures régulières. Prenez votre repas du soir au moins 3 heures avant le coucher.
– Évitez les grignotages. Il faut, en effet, entre 4 et 6 heures pour digérer un repas. Chez l'enfant, cela dure entre 3 et 5 heures. Chaque grignotage, aussi infime soit-il, fatigue l'organisme.
Si 2 heures après un repas, vous mangez une datte, une demi-pomme, vous changez brutalement la nature biochimique des aliments et la programmation ne correspond plus au bol alimentaire. Le cerveau doit alors reprogrammer un nouvel état de digestion, ce qui entraîne la prolifération de bactéries, fatigue l'organisme et nuit à la vitalité de l'appareil musculaire.
Robert Masson, naturopathe, précise même qu'un individu qui se suralimente 3 fois par jour est en meilleure santé que celui qui abuse du grignotage. Le grignotage est, d'après son expérience, l'une des causes principales de fatigue de la femme, bien avant la carence protéique et l'insomnie.

Une alimentation équilibrée

– Mangez des protéines à chaque repas.
– Associez aux aliments protidiques (œufs, viande, poisson) l'un ou

l'autre des aliments glucidiques (farineux, féculents) ainsi qu'une crudité ou un légume.
– Ne mangez ni trop chaud ni trop froid.

VOICI QUATRE IDÉES DE PETITS DÉJEUNERS ÉQUILIBRÉS PROPOSÉES PAR ROBERT MASSON POUR ÉVITER LE « COUP DE BARRE » DE 11 HEURES

1 – Une boisson chaude (thé vert léger, bol de chicorée ou boisson à base de germe de blé, de préférence au café) avec du pain à une farine + noix, noisettes, amandes... ou du pain beurré.

2 – Une boisson chaude accompagnée de pain + un œuf à la coque ou une viande froide pour ceux qui ne peuvent pas manger correctement à midi.

3 – Une boisson chaude et un repas de fruits secs, notamment en hiver. Je l'ai expérimenté tout l'hiver et ai pu apprécier sa digestibilité et ses effets sur mon tonus.

4 – Une boisson chaude et un repas de bananes.

Une alimentation naturelle

Consommez des légumes et des fruits frais de saison et du terroir, si possible issus de l'agriculture biologique en évitant les produits dénaturés. Le bon sens populaire allant plutôt du côté des fruits et légumes crus en été et cuits en hiver. À moduler en fonction de vos besoins et de vos envies.

Manger peu et de tout

– Une alimentation frugale et variée semble être une des clefs de notre bonne santé. Varions les aliments, mais aussi les modes de cuisson et diversifions les eaux.
– Un conseil sur lequel s'accordent bon nombre de nutritionnistes : manger jusqu'aux premiers signes de satiété et sortir de table avant d'être repue, en allégeant tout particulièrement le repas du soir.

Une alimentation digeste pour éviter d'encrasser l'organisme

– Consommez régulièrement et raisonnablement des fruits, c'est-à-dire 2 à 3 fruits frais par jour, de préférence en dehors des repas. Le meilleur moment semble être celui du goûter (vers 17 heures) à la condition de ne pas les mélanger à d'autres aliments.

– Au petit déjeuner, limitez la consommation de fruits frais, car ils peuvent bloquer la digestion et créer ballonnements et autres désagréments digestifs.

– Évitez les sucreries – miel, confiture – le matin, car ils déclenchent une forme artificielle qui diminue immédiatement quelques instants plus tard. C'est ce qu'on appelle une décharge glycémique.

– N'abusez pas des mélanges de céréales qui séparément sont bonnes pour l'organisme, mais ensemble deviennent lourdes et difficiles à digérer. De même, privilégiez les pains à une seule farine.

– Consommez de façon modérée du lait et du fromage. Essayez de remplacer le lait par du lait de soja, du lait de riz, du lait d'amandes.

– Évitez sodas, jus de fruits et autres boissons chimiques pendant et en dehors des repas.

– Évitez de trop boire en mangeant, du vin bien sûr, mais aussi de l'eau. Et préférez l'eau plate à l'eau gazeuse.

– Diminuez les excitants (thé, alcool, café).

– Remplacez, aussi souvent que vous le pouvez, les sauces par des herbes aromatiques.

Un régime individualisé

Suivez vos goûts et les réactions de votre corps face aux aliments. Certaines d'entre nous digèrent mal les fruits ou le fromage, n'aiment pas la viande, d'autres détestent le poisson ou encore sont allergiques aux crustacés... Nos différences montrent bien l'inadéquation d'un régime alimentaire strict et unique pour une population aussi hétérogène. À l'écoute de vos besoins et des réactions de votre organisme par rapport aux aliments, appropriez-vous intelligemment ces règles alimentaires ! Et si vous avez besoin d'être éclairée, lisez sur le sujet ou allez voir un spécialiste de la nutrition.

SUIVRE SES ENVIES

⟶ Si respecter une bonne hygiène alimentaire est nécessaire pour être en bonne santé, il est bon de savoir «craquer» de temps en temps pour un mets qui vous fait envie, même si vous sortez des règles. Des frites, un chou à la crème, une viande en sauce, un gâteau au chocolat dégoulinant... de chocolat, au fond qu'importe l'objet de votre inclinaison.

⟶ Le plaisir que vous aurez à le déguster contribuera à le rendre digeste et demeure essentiel à votre moral.

⟶ Quand l'opportunité se présente, je ne sais résister à la tentation de manger des petits rouleaux de réglisse. Cela me rappelle mon enfance et c'est si bon!

Privilégier les aliments de saison!

Dans la Bible, les légumes sont à l'honneur!

Selon les textes (Livre de Daniel, I, 8-17), Daniel et ses compagnons, après s'être nourris de légumes et d'eau pendant 10 jours, étaient plus vaillants que les autres jeunes gens invités à la table du roi à manger de riches mets et à boire du vin. Les légumes riches en éléments minéraux et en vitamines contiennent en effet des substances protectrices précieuses pour notre santé.

Acheter fruits et légumes frais au marché

Les fruits, riches en vitamine C, en bêta-carotène – précurseur de la vitamine A – fournissent à notre corps des fibres alimentaires dont les effets bénéfiques sur le processus digestif et métabolique sont prouvés depuis longtemps. Ils ont l'avantage d'être pour la plupart peu caloriques.

Les fruits et légumes frais sont présents sur tous les étals toute l'année. Retrouvez-les sur les marchés et choisissez en priorité ceux de la saison en cours parce qu'ils sont particulièrement adaptés à ce que réclame notre organisme pendant cette période. Ainsi, les légumes d'hiver, devant affronter les rigueurs du temps, nous fournissent tout ce qu'il nous faut en matière de vitamines, d'antioxydants et d'oligo-éléments pour être plus résistantes. En été, plus légers, ils nous rafraîchissent.

Choisir les produits du terroir

Lors d'un débat organisé à la suite de la projection de son film en janvier 2005, le réalisateur Pan Nalin déclare, selon les conseils d'un médecin ayurvédique, qu'il faut se limiter aux fruits et légumes qui poussent dans un rayon de 100 kilomètres, car notre environnement produit ce qui est nécessaire à nos besoins... Ce n'est pas toujours facile aujourd'hui – en particulier lorsqu'on vit dans des grandes villes et que les produits exotiques et issus de nos régions se côtoient en permanence – de respecter cette règle de bon sens. Néanmoins, en avoir conscience et se diriger vers des produits locaux plutôt que vers des produits exotiques, c'est meilleur pour la santé et souvent nettement moins cher. De même, les saveurs vont bien ensemble quand elles viennent du même terroir. « L'association d'un morceau de Comté et d'un verre de vin jaune du Jura, c'est exquis », ajoute mon amie Caroline.

Printemps

Fraise, framboise...

Artichaut, asperge, concombre, navet, oignon, petit pois, pomme de terre primeur, radis, salade...

Été

Abricot, cerise, cassis, fraise, framboise, groseille, myrtille, nectarine, pêche, poire, prune...

Ail, artichaut, aubergine, concombre, fève, haricot en grains, haricot vert, melon, pastèque, pois gourmand, poivron, salade, tomate...

Automne

Châtaigne, coing, figue, kiwi, nèfle, noisette, noix, poire, pomme, prune, raisin...

Brocoli, carotte, champignon, chou, courgette, échalote, fenouil, potiron...

Hiver

Poire, pomelo, pomme...

Betterave, chou, céleri, céleri-rave, chou-fleur, crosne, endive, mâche, navet, oignon, pissenlit, poireau, pomme de terre, salsifis...

Sans oublier les herbes aromatiques
Aneth, ciboulette, coriandre, estragon, persil, romarin, sauge... qui parfument les plats et les rendent plus digestes.

CHAQUE SAISON A UNE SAVEUR ET A UN MODE DE CUISSON

Pour les Chinois, il y a quatre saisons et des saisons intermédiaires. Ils mangent de tout toute l'année, mais privilégient certains aliments à chaque période. Voici quelques règles essentielles concernant l'utilisation ancestrale des produits, extraites de l'ouvrage de Georges Charles, *La Table du dragon*.

⤏ **Au printemps,** saison reliée à l'Est, au petit yang, au bois, à la montée de l'énergie, à la jeunesse, les Chinois mangeaient en priorité des viandes blanches cuites à l'huile, accompagnées de condiments de nature tiède comme l'ail, le basilic, la coriandre, l'échalote, le gingembre, et de saveur aigre et acide. Ils étaient accompagnés de légumes verts sautés et fermes (haricots verts, asperges, fenouils, poireaux...).

⤏ **En été,** période associée au Sud, au grand yang, au feu, à l'énergie, à l'âge adulte, ils utilisaient principalement les viandes rouges, soit grillées, soit rôties, accompagnées de condiments de nature tiède ou chaude (piment rouge, cannelle, gingembre, poivre blanc...) et de saveur amère. Ils étaient servis avec des légumes verts grillés qui, comme la viande, tendaient à la texture filandreuse.

⤏ **En automne,** saison connectée à l'Ouest, au petit yin, au métal, à la maturité, ils avaient coutume de consommer des végétaux secs, soit bouillis, soit blanchis, accompagnés de condiments de nature fraîche comme la menthe et la salicorne et de saveur piquante (épices, gingembre, raifort, échalote...). Les légumes étaient servis avec de la viande souvent hachée et cuite longuement en sauce, dans des récipients en métal, correspondant à nos ragoûts.

⤏ **En hiver,** période liée au Nord, au grand yin, à l'eau, à la vieillesse, ils consommaient des végétaux cuits à la vapeur accompagnés de condiments de nature fraîche ou froide (sel) et de nature salée comme la sauce de soja. Ces légumes étaient servis avec des poissons et viandes conservés par le sel ou en saumure.

⤏ **Durant les saisons de transition,** c'est-à-dire à la fin de chaque saison, il convenait d'entreprendre un régime afin d'aborder les festivités dans les meilleures dispositions. Ils consommaient essentiellement des aliments transformés d'origine végétale ou animale braisés (surtout le bœuf) dans des récipients en terre avec des assaisonnements de nature neutre (miel et sucre) et de saveur douce et parfumée.

⤏ **Pour conclure,** la diététique chinoise, dont les origines remontent à plus de 4 000 ans, nous montre la voie d'une alimentation inspirée par la nature, équilibrée, variée, goûteuse, réalisée avec des cuissons variées et appétissantes. Sa doctrine va plus loin car elle associe également les saisons aux organes. Par exemple, il faut drainer le foie au printemps (à partir de février). En été, c'est le cœur qui est en scène, puis la rate à la fin de l'été, les poumons en automne et les reins en hiver.

Consacrer 10 minutes de plus à chaque repas pour se détendre avant, pendant et après

Avant le repas
Masser ses maxillaires et le crâne
Mis au point par Pierre Pallardy, ce massage de 2 à 3 minutes régularise la sécrétion de la salive, facilite l'assimilation des aliments et détend le système nerveux. Pour stimuler les terminaisons nerveuses en relation avec le nerf vague, faisant le lien entre le cerveau et l'abdomen, massez tout d'abord vos mâchoires avec la pulpe des doigts, en insistant sur les points douloureux. Exercez des pressions rotations-vibrations de quelques secondes sur chaque point. Puis massez les ailes du nez, le contour des yeux, suivez la ligne des sourcils, les tempes ainsi que le front et terminez par le nerf ophtalmique, situé sur le sommet du crâne. Trois amples respirations abdominales vous détendront et favoriseront la sécrétion salivaire également propice à la bonne assimilation de votre collation.

Pendant le repas
Apprendre à mastiquer

Sandwich englouti à toute allure ou déjeuner express coincé entre deux rendez-vous : nous ne prenons pas le temps de manger calmement et de goûter nos aliments. Le soir, le programme n'est pas plus relax. Lorsque nous passons à table, nous pensons aux tâches qui nous attendent encore. Il n'est donc pas question de traîner. Nous avalons notre repas aussi vite qu'à midi. Nous passons hélas à côté d'un moment que nous aurions pu vivre dans la détente et le plaisir. Une prise alimentaire trop rapide favorise le recours aux excitants – cigarette, alcool, café, etc. –, entraîne à la longue des troubles digestifs et s'accompagne de baisse d'énergie. En effet, mastiquer pour imprégner les aliments de salive permet de les pré-digérer, favorisant ainsi le processus de digestion. «Ce qui importe, c'est ce qu'on assimile et non ce que nous ingurgitons», dit André Van Lysebeth, l'un des grands spécialistes du yoga. Les aliments insuffisamment mastiqués ne sont pas correctement assimilés. Il faut mâcher tous les aliments, y compris les aliments liquides (soupe, lait, eau, etc.) car, bien imprégnés de salive, ils se digèrent beaucoup mieux.

Compter jusqu'à 5 avant d'avaler une bouchée nous conseillent les Chinois. Et pour les yogis, il faut mâcher chaque bouchée le plus longtemps possible! Apprendre à mastiquer est une tâche difficile. Aussi, commencez par consacrer quelques minutes de plus à mâcher et à pétrir chaque bouchée tous les jours. Cette mastication deviendra progressivement plus naturelle et allégera le travail de l'appareil digestif, libérant ainsi de l'énergie pour d'autres tâches.

Autres avantages : vous découvrirez de nouvelles saveurs, car le goût des aliments se modifie au cours de la mastication. Et vous mangerez moins!

Préférer les baguettes aux couverts!

Quand on utilise les baguettes, on porte son attention sur le geste que l'on fait pour saisir l'aliment et le porter à sa bouche. Cela nous oblige à ralentir, à diminuer la quantité de chaque bouchée, tout en augmentant la conscience de ce que l'on mange. Idéal pour savourer le repas et faciliter la digestion.

Manger «heureux»

Pratiquons de temps en temps le silence. Afin de mieux apprécier les aliments, un instant de recueillement pendant le repas permet de mieux sentir le goût de ce que l'on mange. De même, prendre son repas dans un cadre silencieux, sans radio, sans télévision, favorise une bonne digestion. Les informations peuvent créer des chocs émotionnels nuisibles à la détente et à la digestion. Cela peut même avoir des répercussions sur le sommeil.

Apprécier ses aliments

Selon l'ayurvéda, il importe d'apprécier la nourriture lorsque l'on mange, car sinon «elle devient comme une sorte de poison pour l'organisme».

Après le repas

Faire 50 pas facilite la digestion précise David Tran. Que vous les fassiez sur place ou en vous mouvant dans plus d'espace, ces mouvements facilitent le processus de digestion, en «faisant descendre les aliments» et «en stimulant la montée de l'énergie!»

Une microsieste de quelques minutes vous aidera à passer agréablement le cap du déclin de début d'après-midi.

Si vous êtes une inconditionnelle de la pause-café ou du thé, buvez-le de préférence après ce temps de repos. Il marquera agréablement le départ de cette deuxième partie de journée.

Que nos repas soient une fête!

Préparer ses repas avec amour

Emportée par le tourbillon de la journée, nous risquons d'expédier en quelques minutes la préparation du repas et de terminer cette journée en marathon.

Stop! Au contraire, profitons pleinement de ce moment dédié à la cuisine pour chasser nos tracas et nous concentrer sur un sujet appétissant. Quelques minutes d'attention ajoutées à beaucoup de plaisir constitueront les ingrédients essentiels d'un agréable repas en perspective, en solo ou en compagnie.

Lorsque nous cuisinons dans un esprit de création et de liberté, de nouvelles idées surgissent pour accommoder des plats courants : des œufs sur un lit de crème fraîche et de ciboulette cuits au four au lieu de les faire directement à la poêle, une nouvelle herbe pour aromatiser un légume, un coulis de tomates fraîches pour accompagner des filets de poisson en papillote, etc. Le contentement présidera à la préparation de ce repas et se verra dans l'assiette. Vous apprécierez, tout autant que vos convives, et la digestion sera facilitée pour tout le monde.

En effet, lorsque vous cuisinez en état de stress, vous ajoutez à vos aliments toutes vos émotions.

Consommer les produits que l'on a cultivé

Lors d'une conférence en novembre 2004 au salon Marjolaine, Kiran Vyas, spécialiste de la tradition indienne, rappelait l'importance de cuisiner chaque jour avec un produit que nous avons fait pousser nous-même : des herbes aromatiques ou des graines que nous faisons germer (par exemple le haricot mungo) et que nous ajouterons à nos mets... De même, si vous avez un jardin, les légumes et les fruits que vous y aurez cultivés apporteront une saveur incomparable à votre cuisine. On retrouve le même plaisir lorsqu'on offre à quelqu'un un dessin, un tableau, un poème qu'on a composé pour lui plutôt qu'un objet acheté. À la manière de nos grands-mères, préparons avec amour pour nos proches des «petits plats maison» : confitures, condiments, gâteaux, yaourts et autres conserves savoureuses.

La fantaisie au premier chef

Oser une nouvelle recette, ajouter une nouvelle herbe aromatique, un nouvel ingrédient, associer fruits et légumes dans une préparation... Une fois par semaine, faites un repas ludique : des crêpes, des gaufres, des croque-monsieur, une raclette, un plat unique...

Une pièce bien éclairée

C'est plus gai et surtout cela régule l'appétit. La pénombre, induisant la notion de retraite, d'abri du regard des autres, favorise, selon des études menées aux États-Unis, une prise de nourriture excessive. Manger trop nuit, semble-t-il, à la santé. Aussi prenez l'habitude de moduler votre appétit lorsqu'il se manifeste en excès.

Pratiquer l'art de la conversation

À table, évitons les discussions sur des sujets difficiles et les problèmes qui nous détournent du plaisir de manger et qui nuisent à l'assimilation des aliments ingurgités. Optons pour une conversation agréable dans un climat de partage amical et détendu, garant d'une bonne digestion.

Une table bien décorée

L'impression de bien-être et de raffinement augmentera la jouissance d'un bon repas quel qu'il soit. Essayons d'accorder le décor au menu, car les moindres détails de notre table influencent votre appétit. Qu'il s'agisse d'une soupe, d'une salade ou d'un petit déjeuner, d'un repas solitaire, en famille ou entre amis, j'accorde la même importance au décor de la table et de la pièce, afin que le plaisir soit toujours au rendez-vous.

Disposer les fromages sur une assiette plutôt que de les présenter dans leur emballage, tout cela contribue au ravissement des papilles.

Retrouver les bonnes recettes d'antan à base de légumineuses

Beaucoup moins consommés aujourd'hui, les légumes secs font néanmoins partie de notre patrimoine culturel. Bien qu'elles soient pauvres en matières grasses, les légumineuses nous offrent de multiples qualités nutritionnelles : des protéines végétales, des fibres, ainsi qu'un apport intéressant en minéraux et en vitamines du groupe B. Faites le plein d'énergie en consommant, au moins deux fois par semaine en hiver et aussi souvent que vous le pouvez en été, lentilles, flageolets, pois cassés, haricots secs, pois chiches, fèves… J'aime ces recettes d'antan qui, comme une odeur, une mélodie ou un paysage, ont le pouvoir de nous ramener en enfance comme vers un éden disparu. Et qui, de surcroît, nécessitent seulement quelques minutes de préparation ! Voici trois recettes, faciles et rapides à préparer, même si le temps de cuisson est parfois long… Pas de panique, vous avez juste à surveiller vos casseroles ! Replongez-vous dans les livres de recettes de vos grands-mères, vous y découvrirez des trésors insoupçonnés.

Soupe de pois cassés à l'ancienne

Faites tremper quelques minutes 250 grammes de pois cassés (pour 3-4 personnes) dans une eau peu calcaire et égouttez-les. Puis versez-les dans une casserole d'eau froide. Prévoyez un volume d'eau 3 fois supérieur à celui des pois cassés.

Portez à ébullition et maintenez à feu doux pendant environ 1 h 30. Ajoutez au début de la cuisson une pincée de sel, du laurier et du thym. Faites cuire à couvert, à très douce ébullition. Lorsque les légumes sont cuits, retirez les herbes aromatiques et mixez pour réduire les peaux. Servez chaud, nature ou accompagnés d'une cuillerée à café de crème fraîche.

Haricots blancs secs à la tomate

Pour faire gonfler 300 grammes de haricots blancs, faites-les tremper de 1 h 30 à 2 heures dans l'eau froide et un peu moins si l'on choisit des légumes de l'année. Égouttez-les puis mettez-les dans une grande casserole remplie d'eau froide et amenez doucement le liquide à ébullition. Ajoutez 1 pincée de sel, 2 oignons piqués de clous de girofle, 2 carottes en quartiers, 1 bouquet garni contenant 1 gousse d'ail. Faites cuire à couvert, à très petite ébullition. Une fois cuits, égouttez les haricots blancs. Puis mettez-les dans une sauteuse où vous aurez préparé pour 1 kilogramme de légumes environ 3 décilitres de fondue de tomate, condimentée d'une pointe d'ail. Ajoutez 1 cuillerée à soupe de persil haché et faites mijoter quelques minutes.

Salade de lentilles vertes

Faites tremper 250 grammes de lentilles (pour 4 personnes) quelques minutes. Puis plongez-les dans l'eau froide légèrement salée. Portez à petite ébullition jusqu'à ce qu'elles soient cuites, légèrement craquantes. Il faut compter environ 30 minutes de cuisson. Égouttez-les et laissez refroidir. Encore tièdes, mélangez-les à une sauce vinaigrette additionnée de 2 échalotes émincées et de 1 cuillerée à soupe de persil haché.

De retour chez soi

Décompresser en douceur

Promenade sur le chemin du retour

Si la marche matinale vous inspire peu, tentez-la si possible en fin de journée en partant de votre lieu de travail 10 minutes plus tôt.

Une promenade dont le seul but sera de chasser les tracas de la journée, en focalisant votre esprit sur la rue, les visages, les bruits insolites, l'envol d'un oiseau, les lumières, le ciel rosé du crépuscule...

Il ne s'agit plus de marcher d'un pas cadencé, mais plutôt de flâner, de ralentir votre rythme, de vous décontracter en étant totalement à l'écoute de vos sensations. Marchez et surtout ne pensez à rien !

Si l'envie vous prend, installez-vous quelques minutes à la terrasse d'un café, lieu souvent propice à l'inspiration, regardez les passants, parlez à votre voisin, buvez tranquillement... Vous pouvez tout aussi bien vous asseoir sur un banc public.

Votre corps et votre esprit se détendront progressivement, et vous oublierez peu à peu la fatigue de la journée. De nouvelles pensées surgiront : une véritable «déprogrammation» s'opérera en vous pour un retour tout sourire à la maison !

Laisser ses soucis à la porte de chez soi

En rentrant à la maison, essayez de laisser vos préoccupations de la journée à l'extérieur. Ainsi, vous passerez le seuil de la porte d'entrée plus légère, plus disponible pour vous et pour votre entourage.

Opter pour le confort à la japonaise

Quel plaisir d'ôter ses chaussures en arrivant chez soi pour bien marquer la coupure avec l'extérieur. Marcher pieds nus sur le parquet, en chaussettes ou avec des pantoufles larges pour que vos pieds soient à leur aise apporte une véritable détente. Se laver les mains puis changer de tenue, en optant pour des vêtements plus larges et douillets, amène un vrai confort. Vous voilà prête pour bien vivre votre soirée !

LES PIEDS EN COMPOTE : UN PETIT GESTE RÉPARATEUR

Ce massage revigore les pieds fatigués et soulage les tensions dues au port des talons pendant la journée.

1 – Assise confortablement dans un fauteuil, le dos bien maintenu, mettez votre pied droit sur la jambe gauche et prenez-le dans vos mains. Effectuez un effleurement sur le dessus de votre pied, des orteils jusqu'à la cheville, puis effectuez des pressions circulaires et étirez votre pied en redescendant.

2 – Effleurez de la même façon la plante ainsi que les côtés de votre pied en commençant par les orteils et en finissant par le talon.

3 – Fermez vos poings sans trop les serrer et posez-les à plat sur votre pied. Effectuez des massages circulaires avec vos phalanges sur toute la surface du pied.

4 – Terminez ce massage en gardant votre pied dans vos mains une vingtaine de secondes en guise d'ancrage. Faîtes la même chose avec l'autre pied.

Un bain de pieds réconfortant

Mettez dans une bassine d'eau tiède une poignée de lavande, une poignée de menthe verte et une poignée de sel marin. Laissez tremper vos pieds une dizaine de minutes. La douleur s'atténuera très rapidement.

À nous la relaxation !

La relaxation nous délivre des entraves emprisonnant notre physique comme notre mental. Ces quelques exercices assurent une détente agréable, surtout si on les pratique de façon régulière.

Les pieds au mur pour effacer la fatigue de la journée !
Allongez-vous sur le sol et posez vos jambes à la verticale le long du mur. Plaquez vos fesses sur le sol, vos talons en appui sur le mur. Quelques minutes suffisent à vous délasser radicalement.

Prendre conscience de sa respiration pour décompresser

Assise en tailleur, le dos droit, les épaules basses et décontractées, les mains posées sur le ventre, sentez simplement le souffle monter et descendre. En fermant les yeux, vous pourrez plus facilement vous concentrer sur toutes vos sensations tactiles. En conservant cette position 2 à 3 minutes, vos tensions commenceront à lâcher.

FAITES LA «FLÈCHE»

La Fée Helles, professeur de danse, exerçait à Paris dans les années 50. Son enseignement reposait sur une pratique harmonieuse de la respiration. Pour elle, la respiration, «c'est l'acte le plus important de la vie... Exécutée en détente, elle est profonde ; exercée avec concentration, elle devient consciente ; faite en différents rythmes et attitudes, elle s'adapte facilement aux différents états physiques et psychologiques.»

⋯⋙ **Position de départ :** couchée sur le côté, posez la tête sur le bras reposant sur le sol et tendu dans l'alignement du corps. Posez l'autre bras devant vous à la hauteur de la poitrine. La colonne vertébrale doit être droite.

⋯⋙ **Mouvement :** soulevez légèrement les jambes en inspirant, suspendez un court instant votre respiration puis expirez en reposant les pieds à terre. À faire lentement plusieurs fois de chaque côté et de façon gracieuse. Cet exercice est excellent pour l'extension de la colonne vertébrale, la libération des disques intervertébraux, la prise de conscience de l'axe du corps.

Jouer à la simplette !

Relaxez complètement votre visage en entrouvrant la bouche, le regard dans le vide. La mâchoire descend, la tête devient lourde. Écoutez vos sensations et gardez cette position quelques minutes. Cette technique s'avère très délassante.

Bain d'aromathérapie

Prenons un bain voluptueux et chaud aux huiles essentielles pour stimuler notre circulation et équilibrer notre flux d'énergie. Il ne s'agit pas de se laver mais de se prélasser.

Emportez dans la salle de bains un verre de votre boisson préférée et fermez la porte.

Tamisez la lumière, mettez-vous une musique douce, allumez une bougie ou faites brûler de l'encens. Remplissez la baignoire et plongez-vous dans ce bain de plaisir agrémenté de quelques gouttes d'huiles essentielles! Les essences de lavande et de tilleul sont calmantes et antiseptiques, le thym et le romarin sont des fortifiants généraux... Il est préférable de prendre son bain avant le repas ou au moins 2 heures après, pour ne pas gêner la digestion. Au sortir de votre bain, enroulez-vous dans une serviette bien chaude et reposez-vous quelques minutes.

Quand le stress la gagne, mon amie Dominique s'enferme à double tour dans sa salle de bains, plonge dans son bain et se prélasse jusqu'à ce que la détente soit complète. Elle prétend que «c'est là qu'elle trouve de nouvelles idées pour ses projets ou la solution à un problème»...

Le massage du ventre qui relaxe

····> **Position de départ :** en position allongée ou assise, commencez par respirer tranquillement.

····> **Phase 1 :** dans le sens des aiguilles d'une montre, effleurez 1 à 2 minutes votre ventre du bout des doigts, sans appuyer.

····> **Phase 2 :** inspirez profondément en appuyant fermement vos mains sur le ventre comme si vous vouliez l'empêcher de gonfler. En expirant, rentrez votre ventre en appuyant avec vos mains. Effectuez des petites pressions et relâchements rapides. À faire 1 à 2 minutes.

····> **Phase 3 :** en suivant le rythme tranquille de votre respiration, malaxez lentement, doucement et en profondeur la peau de votre ventre avec vos doigts et vos paumes, comme si vous pétrissiez de la pâte. 1 minute environ.

····> **Recommandations :** à pratiquer sans crème, sans huile, en dehors de la digestion, de préférence avant de dîner. Vous pouvez également effectuer ce massage très relaxant dans votre bain ou sous la douche. Ce massage inspiré de la méthode Pallardy a ma préférence. J'essaie de le pratiquer régulièrement en prévention. En Occident, nous nous occupons en premier lieu de notre intellect et nous omettons souvent de masser, de toucher notre ventre, vital pour l'équilibre de notre organisme et de notre mental.

Aller vers les autres

Nous l'avons évoqué, prendre du temps pour soi dès son retour à la maison est nécessaire. Laissons les tâches ménagères pour plus tard et luttons contre le « toujours plus » en réservant du temps pour ceux que nous aimons.

Les enfants au premier plan

Consacrer du temps à ses enfants, parler avec eux de leur journée ou du sujet qui les occupe, les câliner, jouer avec le petit dernier, être tout simplement attentive à ses mimiques, lire une histoire, entrer dans leur monde imaginaire, les masser, leur apporter votre soutien pour un devoir ou une leçon… n'est-ce pas la meilleure façon de commencer votre soirée ? Ce temps pour eux est primordial à leur équilibre affectif et à votre satisfaction de mère. La tendresse et votre écoute active alimentent ce courant alternatif d'amour qui circule dans la famille.

Tendre complicité avec son mari ou son compagnon

La relation se cultive au fil des jours. Raconter sa journée, narrer une anecdote, lui faire partager un bon moment, un moins bon, l'écouter, parler de petits riens, ou simplement rester dans le silence d'une tendresse partagée… C'est tellement bon !

Caressez son chat

> *« Il y a deux moyens d'oublier les tracas de la vie :*
> *la musique et les chats. »*
> Albert Schweitzer

Qu'ils soient délurés, silencieux, indifférents, boudeurs, câlins, nous ne pourrions pas nous passer d'eux. Toute une série d'invites nous montrent quand notre chat est prêt à recevoir des caresses. Effleurez-le doucement d'une main légère car les félins préfèrent la douceur. Ils ont en général une préférence marquée pour les gratouilles derrière les oreilles, sous le menton et sur le dos. Quand nous les caressons, ils se détendent, et nous aussi. Leurs ronronnements nous bercent et peuvent nous entraîner à la décontraction complète.

Entretenir l'amitié

Appeler un(e) ami(e), se confier à lui ou recevoir ses confidences, c'est un vrai bonheur, même si nous ne pouvons pas passer 3 heures au téléphone. Quelques minutes d'échange font entrer la joie et l'affection dans la maison. Les chagrins, les soucis, les bons moments, les plaisirs se partagent et nourrissent ces amitiés si précieuses.

UNE HALTE BIENFAISANTE DANS UNE JOURNÉE AGITÉE

Pour vous relaxer, rien de tel que la posture du cadavre, ou *shavasana*, pour celles qui connaissent le yoga. C'est une posture fondamentale de lâcher-prise, d'abandon, d'immobilité, de passivité intelligente et qui pourtant n'en est pas véritablement une, puisqu'il n'y a aucune construction technique, aucun mouvement anatomique. C'est une véritable relaxation au cours de laquelle toutes les tensions musculaires se dissipent, avec un effet très apaisant sur le système nerveux.

1re phase

····≻ **Mise en place de la position :** allongée sur le sol, écartez vos bras en V de façon à ce que les épaules ne soient ni soulevées, ni contractées et que le haut des bras ne touche pas les aisselles. Les épaules totalement relâchées, tournez les paumes de mains vers le ciel, les doigts complètement mous. Rentrez légèrement le menton vers le sternum pour décambrer les cervicales. Écartez légèrement les cuisses en V, de sorte qu'elles ne se touchent pas. Choisissez l'écartement qui permet le plus grand relâchement du corps. Laissez les petits orteils retomber vers le sol. Puis sans soulever les fessiers du sol, basculez le bassin vers l'avant afin que les lombaires s'étalent sur le sol et se détendent lentement tout en retrouvant une cambrure naturelle. Si vous avez mal au dos ou aux lombaires, vous pouvez glisser un petit rouleau ou un oreiller sous les cuisses.

····≻ **Relaxation :** fermez les yeux et détendez-vous profondément. La respiration abdominale se fait alors tout seule. Attentive à votre respiration, laissez faire. Détendez particulièrement certaines parties de votre corps comme les yeux, la mâchoire inférieure, votre langue, les épaules, votre plexus solaire... Votre corps s'abandonne progressivement.

Conservez cette posture quelques instants. 10 minutes suffiront à vous apporter une très grande détente nerveuse et une grande lucidité. Quand on se détend ainsi, dans la lenteur, on sent ce qui se passe.

····> 2e phase : contraction maximale pour une détente plus intense !

Dans la position décrite ci-dessus, inspirez et contractez en même temps très fort tous vos membres, vos muscles du visage, plissez le front et vos paupières, grimacez, crispez vos poings et vos pieds, serrez vos abdominaux, vos fessiers… pendant quelques secondes.

Puis relâchez en expirant fort, c'est-à-dire en émettant un son, mais sans forcer. C'est extrêmement relaxant. Vous pouvez le faire plusieurs fois. Puis en revenant doucement à la réalité, étirez-vous à la manière d'un chat. Accueillez vos bâillements, retrouvez la vitalité de vos muscles, faites-les fonctionner.

C'est avec le sourire et bien plus d'optimisme que vous vous relèverez pour accomplir ensuite les tâches qui vous attendent. Ces exercices vous aideront à limiter votre champ d'action, à vous habituer à mieux vous concentrer sur un sujet précis.

Avant de se coucher

Ces massages qui font du bien

En Chine, les femmes se massent les seins pour améliorer leur vie génitale !

Ces seins que nos soutiens-gorge mettent en valeur, que nos amants caressent, que nos bébés attrapent goulûment, eh bien nous les ignorons... Ils ne contiennent aucun muscle et ne sont pas réellement fixés au thorax. En les massant, nous tonifions l'enveloppe cutanée, nous nous réapproprions notre corps, nous renouons en quelque sorte avec notre féminité.

Le massage des seins, inspiré du qi gong, se pratique comme suit :

Position de départ : en position debout ou assise, les pieds écartés de la largeur des hanches, placez vos mains sur vos seins, vos paumes posées sur vos mamelons, vos deux majeurs se touchant entre vos deux seins.

Mouvement : effectuez une dizaine de cercles complets en appuyant doucement mais fermement sur le contour des seins et en tournant dans un sens. Inspirez quand vous ouvrez la poitrine et expirez quand vous fermez la poitrine. Vos épaules et votre tête accompagnent passivement le mouvement, sans forcer, en souplesse.

Puis effectuez une vingtaine de cercles dans l'autre sens. De la même façon, inspirez lorsque vous ouvrez la poitrine et expirez en fermant la poitrine.

Recommandations : vos mains, posées sur votre poitrine au départ, doivent suivre le contour de vos seins. Et votre tête ainsi que vos épaules suivent naturellement ce mouvement, s'abaissant et se redressant tour à tour selon que vous ouvrez et fermez votre poitrine.

·····⟩ **Répétition :** à pratiquer tous les jours pour un développement harmonieux de votre féminité et de votre corps.

·····⟩ **Contre-indications :** grossesse, allaitement, douleurs pendant les règles, maladies du sein (abcès, cancer, etc.).

Je suis conquise par ce massage dont je ne cesse de parler autour de moi depuis que je le pratique. Il est vrai que mes seins sont plus fermes et plus toniques !

Pétrir ses pieds, c'est le pied !

Ce massage active la circulation sanguine. Pour cela, commencez par effectuer des petits mouvements circulaires doux sur le côté interne de la voûte plantaire. Puis massez doucement le dessous du pied avec des mouvements plus lents, en partant des orteils et en prolongeant jusqu'au talon. Ensuite, pétrissez doucement les orteils un à un. Cela soulage le stress. Et terminez par les chevilles, en massant les alvéoles avec des mouvements circulaires. Puis allongez progressivement le massage depuis le cou-de-pied en remontant jusqu'à mi-jambe.

Les Japonaises utilisent les *ridoki* pour tonifier leur visage

Créés par les Japonais, les *ridoki,* petits rouleaux en acier inox de massage facial, servent à stimuler l'épiderme du visage et du cou. Des massages réguliers avec ces *ridoki* activent la circulation sanguine au niveau de la peau et préservent son élasticité. Leur action est particulièrement efficace en matière de prévention et de traitement des rides, des ridules et des pattes d'oie. Après vous être démaquillée, massez chaque zone de votre visage en suivant le sens des flèches indiqué sur le schéma ci-contre, pendant quelques secondes.

·····⟩ **Recommandations :** évitez les yeux et le contour des yeux. Remontez le rouleau vers le haut pour le bas du visage pour travailler les tissus dans le sens qui stimule les muscles. Puis une fois ce massage effectué, utilisez une crème adoucissante pour nourrir la peau.

Détente maximale grâce au cocktail vanille-lavande

Mélangez 50 millilitres d'huile de massage avec 10 gouttes d'huile essentielle de vanille et 10 gouttes d'huile essentielle de lavande fine. Massez-vous le torse et la nuque avec cette huile pour vous détendre.

Se masser le bas-ventre
Massez votre bas-ventre, une main montant tandis que l'autre descend une trentaine de fois. On doit ressentir de la chaleur sur la peau se diffusant peu à peu à l'intérieur. Puis avec les poings serrés, tapotez légèrement et alternativement avec un poing puis avec l'autre le centre de votre abdomen, sur un point se situant à une largeur de votre poing en dessous du nombril.

····> **Contre-indication :** à éviter si vous êtes enceinte, si vous avez mal au ventre ou pendant les règles.

Une toilette apaisante

Le démaquillage, l'étape incontournable du soir

Commencez votre toilette par vous démaquiller. Débarrasser la peau d'une partie de son sébum, du maquillage, des impuretés et de ses cellules mortes est indispensable pour préserver son équilibre de la peau et la protéger. L'utilisation de produits naturels non décapants est recommandée. Ce geste de bienveillance apporte une réelle détente.

Frottez votre peau à sec !

Avant la douche ou le bain, un brossage à sec de la peau élimine les toxines et la rend plus douce et apporte de nombreux autres bénéfices. En effet, il fait circuler le sang, réchauffe le corps, élimine l'excès de cellulite et contribue au rajeunissement de la peau. Avec une pratique régulière, la texture s'améliore, la peau devient plus douce et plus rose. Cette friction vous prendra entre 3 et 5 minutes. Le brossage n'abîme pas la peau même si elle rougit au cours du brossage, à condition d'utiliser une brosse à poil naturel ou un luffa que vous trouverez dans une boutique de produits naturels ou en pharmacie. Veillez à acheter une brosse à long manche pour accéder facilement à votre dos.

Le brossage s'effectue selon quelques règles simples :
– installez-vous confortablement dans une salle de bains chaude ;
– effectuez le brossage sur une peau sèche ;
– brossez en direction du cœur et dans le sens des aiguilles d'une montre ;
– commencez par les pieds, puis remontez progressivement sur le reste du corps ;
– frictionnez en douceur votre abdomen, votre poitrine et votre cou.

Précautions à prendre : ne touchez pas le visage ni les mamelons.

Conseil : lorsque vous avez fini, prenez une douche ou un bain tiède.

100 coups de brosse

Depuis l'Antiquité, la chevelure est considérée comme un symbole de séduction pour les femmes. L'entretien régulier des cheveux entraîne leur embellissement. Pour nos grands-mères, 100 coups de brosse par jour, effectués en douceur, étaient une vraie cure de beauté et de santé pour leurs cheveux. Ces gestes éliminent les cellules mortes et les poussières accumulées tout au long de la journée, démêlent les cheveux et activent la circulation sanguine du cuir chevelu. Et cela calme les tensions !

Tenir un carnet de bord

Prendre le temps de consigner, avant d'aller vous coucher, les événements importants de la journée, les bons moments, les progrès réalisés par rapport à votre activité professionnelle, votre passe-temps favori, le projet qui vous tient à cœur, est une habitude extrêmement positive. Comme si vous narriez chaque jour les aventures et les péripéties de votre voyage dans la vie.

Depuis de nombreuses années, j'écris un journal avec des interruptions plus ou moins longues. En commençant cet ouvrage, j'ai repris mon journal d'une façon différente. À chaque fin de journée, j'écris une dizaine de lignes sur ce que j'ai fait dans la journée. Je privilégie mes actes et m'attarde moins sur mes états d'âme, sans pour autant les occulter. Écrire les faits qui ont marqué ma journée me permet de mesurer l'avancement de mon travail, mes progrès.

Cela m'aide également à relativiser des situations que j'ai pu, avec le temps, exagérer, minimiser, voire oublier. Il est parfois si difficile de se souvenir de ce que l'on a fait trois jours auparavant! Cette prise de notes prend quelques minutes à peine. Comme le compte-rendu d'une activité, ce journal me permet de donner de la matière à mes actions, au déroulement de ma journée. J'appréhende mieux au jour le jour mes avancées, mes progrès, mes difficultés, les bons moments, les moins bons, les événements qui ont ponctué certaines journées. Ce journal de bord a pour moi une valeur inestimable : il garde la trace de ma vie pour mieux servir mon projet d'aujourd'hui. Quel plaisir de le consulter dès que je doute de moi, ou lorsque je cherche des points de repère...

Mieux sombrer dans les bras de Morphée

Le yoga nidra pour faciliter l'endormissement

Le yoga du sommeil, ou yoga nidra, pratique de sophrologie hindoue, favorise l'endormissement en quelques minutes seulement. L'état recherché est à peu près celui que nous connaissons dans le train ou comme passager en voiture, entre veille et sommeil, lorsque nous sommes entre deux eaux, ni tout à fait endormis ni tout à fait réveillés. Le relâchement complet du corps entraîne la détente des nerfs, afin que le mental s'abandonne au sommeil.

Apprenez tout d'abord le déroulement de cette pratique, afin de vous détacher du texte et de pouvoir réaliser la technique naturellement, complètement et sans hésitation.

···⟩ **Position de départ :** assise ou allongée dans la position du « cadavre »

Déroulement de la technique :

• Fermez les yeux.

• Écoutez les bruits et les sons extérieurs, sans y participer.

• Prenez une inspiration profonde et, à l'expiration, laissez partir tous les tracas de la journée.

• Recentrez-vous sur votre corps en prenant conscience des points de contact avec le sol, avec le lit ou avec le siège.

• Puis faites ce que l'on appelle « une rotation de conscience » en nommant et en essayant de ressentir chaque partie de votre corps.

Vous déplacez ainsi votre conscience dans votre corps. En l'obligeant à se concentrer sur toutes les zones du corps, le mental va « décrocher » et favoriser ainsi la présence à soi. Tout ceci se fait au rythme du cœur qui bat lentement et de votre respiration abdominale. Il est important de rester dans une très grande immobilité.

• Commencez par le côté droit et notamment par votre main droite. Sentez et nommez les cinq doigts et la paume. Détendez bien votre main qui devient lourde. Puis, lentement, très lentement, prenez conscience de votre poignet, de votre coude, de votre épaule, et détendez chaque muscle. Poursuivez par votre aisselle droite, le flanc, la taille, la hanche, la cuisse, le mollet, la cheville. Détendez tous les muscles de la cuisse à la cheville. Votre jambe droite lourde et détendue. Pensez à votre talon droit en le nommant, et continuez ainsi par la plante du pied, les cinq orteils jusqu'au gros orteil. Bien présente dans le pied droit, vous le détendez.

• Faites la même chose du côté gauche.

• Puis remontez des pieds jusqu'à la tête en visualisant chaque fois, de droite à gauche, les orteils, les talons, les mollets, l'arrière des cuisses, les fessiers, la colonne vertébrale, les omoplates puis l'arrière de la tête.

• En passant par le sommet de la tête, revenez au front, aux sourcils (droite et gauche), au milieu des sourcils puis... les yeux, les oreilles, les joues, le nez, le bout du nez, la lèvre supérieure, la lèvre inférieure, le menton. Détendez bien tous les muscles de votre visage. Votre visage est calme et reposé. Puis ressentez votre gorge, vos clavicules (droite puis gauche), votre poitrine, votre abdomen, le nombril et le bas-ventre.

• Terminez par vos vos cuisses, vos genoux, vos chevilles et vos orteils.

• Remuez lentement les doigts de vos mains, bougez les pieds et les jambes ainsi que tous vos muscles. Étirez-vous et bâillez. Votre relaxation est terminée. Vous voilà donc prête à vous endormir.

Variante

Cette technique de relaxation est excellente pour récupérer sur le plan mental et physique et peut s'accompagner au début et à la fin d'une résolution. Pensez à une phrase courte, positive, avec des mots clairs et précis comme « j'ai du courage », « j'ai de la persévérance », « je réussis cet examen »… dont les effets seront très puissants, car, dans le yoga nidra, les résolutions se glissent dans les interstices de la conscience.

Quelques trucs pour mieux dormir

Nous voulons caser trop d'activités dans notre journée, mordant ainsi sur notre temps de sommeil. Et fatalement, nous en payons le prix, que ce soit au niveau de nos pensées, de nos ressentis et de notre apparence. Prenons 10 minutes sur notre soirée pour nous détendre avant de nous réfugier dans les bras de Morphée !

Dormir est la meilleure façon de rester belle et d'accroître notre vitalité diurne ! Aussi, préservez ce temps précieux et endormez-vous ni trop tôt ni trop tard. Se coucher dès que l'on commence à bâiller et que les paupières s'alourdissent reste encore la meilleure façon de s'endormir.

Les rituels du coucher ont une importance capitale pour avoir une bonne qualité de sommeil

Nous avons toutes nos rituels, ne les sacrifions pas car ils vont nous permettre de passer tranquillement de notre activité diurne au sommeil.

Privilégiez les rituels qui vous mettent en condition de calme et de sérénité. Ainsi, évitez toute suractivité cérébrale avant de vous coucher : un film d'aventure, la télévision, la musique tonitruante. Optez pour un climat douillet, dans le silence ou sur fond de musique douce !

Se laver les dents, fermer les volets, boire une tisane, faire quelques mots croisés, lire un poème, se détendre devant un feu de cheminée, croquer une pomme, écouter une chanson douce, regarder le ciel, allumer une bougie, faire brûler de l'encens… vous conduiront agréablement au sommeil.

Rédiger quelques lignes de mon journal de bord, embrasser mes filles, masser ou me faire masser par mon compagnon, lire quelques pages d'un livre… sont pour moi des étapes indispensables pour me glisser dans le sommeil. L'oubli d'un rituel me joue parfois des tours !

Les doigts de pied en éventail !

Pour une détente rapide, placez entre chaque orteil un écarteur comme celui que vous utilisez pour vous passer du vernis sur les ongles des pieds. Restez quelques minutes dans cette position, confortablement installée sur votre canapé ou sur votre lit. Écoutez de la musique, ou bien prenez un livre pour vous relaxer dans le plaisir.

Consacrer 1 minute à ses pieds

Fléchir fortement les orteils en les rapprochant les uns des autres, relever fortement les orteils en les écartant. Ces mouvements doivent être faits lentement avec le maximum d'ampleur. Cela repose vos pieds !

Comme la feuille pliée
Les fessiers sur les talons, le front posé au sol, allongez vos bras à l'arrière le long des jambes, vos poignets, bras, coudes et épaules complètement détendus.
Et pour celles qui n'arrivent pas à se mettre dans cette position, posez votre front sur vos deux poings empilés. Faites des respirations abdominales tranquilles. Cette posture de yoga, très relaxante, favorise la détente et l'endormissement.

Pour évacuer la fatigue de la journée, se relaxer par autosuggestion

Cette technique se pratique facilement, apporte une solution instantanée à l'émergence du stress et favorise l'endormissement. Installez-vous dans un endroit calme et allongez-vous sur le sol ou sur un lit, les bras détendus dans la position du «cadavre» (voir p. 110) et les yeux fermés. Vous pouvez également vous asseoir, le dos bien droit soutenu par un dossier, les jambes écartées de la largeur de vos hanches et les mains posées sur vos cuisses. Commencez par une respiration lente et profonde et détendez-vous sans vous soucier des pensées qui défilent. Ne cherchez pas à les retenir, au contraire, laissez-les filer.

Puis concentrez-vous sur la région de votre corps que vous souhaitez relâcher. Avec de l'entraînement, vous aurez dans cette zone des sensations physiques d'engourdissement, de pesanteur ou de flottement. Il se peut que vous n'éprouviez pas ces sensations lors des premières séances. Ne vous en inquiétez pas, cela viendra.

Se laisser glisser dans la nuit

Commencer par déposer vos tracas dans une boîte imaginaire

Idéal pour chasser les idées noires de la journée. On se les remémore rapidement et on les enferme dans une boîte posée sur une commode ou la table de chevet. Lorsque je pense à le faire, je me sens plus légère en rentrant dans mon lit.

Solliciter son hémisphère droit !

Le cerveau humain est composé de deux hémisphères, le droit et le gauche. L'hémisphère gauche est le centre de la logique et le droit celui de la créativité. Avant de vous endormir, utilisez votre hémisphère droit en décrivant de façon détaillée une scène que vous aimeriez vivre, en n'omettant ni les couleurs, ni les odeurs, ni le goût, ni les bruits, ni les sensations qu'elle vous procure. Ces émotions positives seront créatrices de la nouvelle situation désirée et vous parviendrez petit à petit à la rendre réelle.

Tout apprentissage est basé sur la répétition. Une fois que vous aurez pris l'habitude de revenir chaque jour sur la vision idéale de votre vie, vous aurez la conviction que vous pouvez tout faire.

Lire au moins un poème, 10 pages d'un roman, d'un livre érotique...

Prendre le temps de lire plutôt que d'appuyer sur le bouton de la télévision comme nous pouvons le faire souvent par lassitude le soir, pour oublier dit-on ! Ouvrir sa conscience à d'autres dimensions, à d'autres expériences, à d'autres beautés, pour se couler agréablement dans le sommeil ou la volupté...

Faire l'amour

S'abandonner aux caresses, laisser monter progressivement son désir et exploser de plaisir prépare agréablement notre nuit. Faire l'amour favorise la sécrétion des endorphines, hormones du plaisir qui, partant du cerveau, se propagent dans tout le corps, apportant çà et là de la détente, respiration, joie, circulation...

Pour revêtir les tendresses de l'amour, laissons à la porte de la nuit notre cuirasse d'adulte. Ce court voyage vers l'enfance, nourri de multiples jeux et sensations de cajoleries, d'étreintes, d'effleurements, d'enlacements, de frôlements, nous emmène doucement et agréablement vers le sommeil.

Halte au stress !

Il arrive parfois que vous n'arriviez plus à maintenir votre équilibre face à la pression extérieure. Trop de choses à faire dans un laps de temps très court vous conduisent à un niveau élevé de stress. La nervosité commence à monter, votre ventre se contracte, vous sentez poindre un mal de tête, une douleur dans la nuque, une baisse d'énergie soudaine, etc. C'est le moment de dire stop et de reprendre votre souffle par des gestes simples qui exigent quelques minutes à peine et qui sauront vous recharger en bonnes énergies. En voici quelques-uns, conseillés par des spécialistes, que je pratique régulièrement dans ces moments critiques.

Être « BOF »

Technique de relaxation, inspirée de la méthode Trager, essentiellement basée sur la sensation, le jeu, la légèreté, la souplesse des gestes aux effets très relaxants. Dans un lieu paisible, en position debout, commencez par une ou deux respirations abdominales pour vous aider à vous concentrer. Puis, en fermant les yeux et en répétant « BOF » à votre rythme, secouez doucement vos bras et vos mains comme si vous dispersiez des gouttes d'eau sur le sol. Vous sentez ces gouttes courir sur vos mains et s'échapper de vos doigts. Remontez vos bras quelques secondes, puis relâchez en soufflant. À faire plusieurs fois. Faites ensuite une dizaine de ronds comme si vous les dessiniez dans le sable avec vos doigts, dans un sens, puis dans l'autre. Ressentez bien cette sensation de sable chaud, de ces minuscules grains de sable qui vous passent entre les doigts tout en répétant « BOF ». Enfin, prenez une poignée de sable de la main droite puis lancez-la sur le corps, et faites la même chose de l'autre main, environ une dizaine de fois. Sentir le sable au creux de la main puis les grains sur votre poitrine amplifiera ce moment de détente. Quittez la plage imaginaire pour revenir lentement à la réalité.

Trois respirations thoraciques

Vous l'avez compris, respirer est un réflexe à acquérir pour être en bonne santé tout au long de la journée. En cas de stress ou de légère tachycardie (quand le cœur s'emballe !), trois profondes respirations thoraciques suffisent à vous relaxer. Cette respiration vous apportera détente et vitalité, avant une réunion qui s'annonce difficile, entre deux activités pénibles, avant et après un rendez-vous important… Les occasions ne manqueront pas dans vos journées.

Aussi facile à pratiquer que la respiration abdominale, la respiration thoracique peut être faite à n'importe quel moment de la journée. Choisissez de préférence un endroit calme. Pour bien sentir vos côtes bouger, placez vos mains de chaque côté du buste au niveau des dernières côtes. En position debout, inspirez par le nez en remplissant d'air vos poumons sur trois temps. Vous sentez gonfler votre cage thoracique tandis que votre ventre se creuse. Puis expirez par le nez ou par la bouche, sur trois temps également, et percevez bien le repli de votre cage thoracique. Cette respiration permet une meilleure amplitude des poumons. La dilatation fait travailler tous les muscles intercostaux, générant une meilleure oxygénation et plus de résistance à l'effort.

Vous pourrez augmenter progressivement les temps d'inspiration et d'expiration, l'important étant de respecter la même durée pour chacun d'eux.

Une respiration abdominale détente

Cet exercice peut être fait en position debout, assise ou allongée. Fermez les yeux et prenez conscience de votre respiration. Faites deux respirations abdominales complètes puis, après la troisième inspiration, contractez tous vos muscles en même temps, en serrant les poings, avec le désir de maîtriser toutes vos tensions. Maintenez cette contraction 2 à 3 secondes, en pensant à tous les muscles du visage, des bras, les abdos, les fessiers, les cuisses, les jambes, les pieds... puis relâchez en expirant fortement afin d'expulser vos tensions hors de vous.

Se libérer du stress par les mains

En ayurvéda, en réflexologie ou en acupression, les mains représentent tout le reste du corps. D'où l'importance de stimuler les zones réflexes de la main et des doigts et de les chouchouter pour apaiser son esprit.

····⟩ **Position de départ** : assise ou debout, immobile ou en marche, commencez par respirer profondément par le nez. Mettez dos à dos les doigts de chaque main légèrement repliée sur elle-même, et frottez-les les uns contre les autres à l'aide de petits mouvements doux.

····⟩ **Mouvement** : mettez en contact les pouces et refermez les autres doigts sur la paume des mains pendant 1 à 5 minutes environ.

····⟩ **Recommandations** : gardez les mains à la hauteur de l'estomac, les avant-bras à l'horizontale, sans vous crisper ni vous fatiguer.

····⟩ **Bienfaits** : on éprouve rapidement une sensation de chaleur, la respiration devient plus profonde, l'esprit plus clair. Même si vous pouvez ressentir au début de la fatigue ou des frissons, la détente viendra progressivement.

Masser quelques points réflexes

Le plus accessible se trouve dans le creux de la main. Il correspond au plexus solaire. Vous pourrez le masser 2 à 3 minutes dans le creux de chaque main.

Ou bien massez le point se situant sur le dos de la main, entre le pouce et l'index.

····> Exercez quelques pressions-rotations fermes de 2 à 3 minutes sur la boule du stress située dans l'intervalle entre le premier et le deuxième orteil de chaque pied. La détente est garantie au bout de quelques minutes de massage !

····> Si vous êtes chez vous, prenez un bain de pieds d'eau tiède dans laquelle vous aurez mis du gros sel. Laissez tremper vos pieds environ 5 minutes. Puis essuyez-les et posez-les tour à tour sur une balle de tennis en insistant sur le creux du pied qui correspond au plexus solaire. Et bougez légèrement le pied sur la balle pour effectuer ce massage.

Tripoter une balle en caoutchouc, rien de tel pour se calmer les nerfs

Pourquoi ça détend ? Parce que ce mouvement répétitif de pression détend les articulations des doigts crispés, où convergent une multitude de terminaisons nerveuses. Malaxer détourne l'attention de ses soucis, procure un bien-être physique immédiat et stimule l'énergie. Un petit truc amusant et efficace.

Masser ses pieds avec un rouleau de bois

Debout ou assise, vous faites rouler votre pied droit puis votre pied gauche sur ce petit rouleau. Le mouvement de va-et-vient et la pression exercée sur la plante du pied vous apporteront peu à peu la détente. À défaut, utilisez un rouleau à pâtisserie, tout aussi efficace.

Sortir pour une marche de 5 minutes

Prendre l'air, c'est oxygéner son corps et son mental. Une bouffée d'air, ça remet les idées en place. Comme si nous ouvrions la fenêtre de notre chambre le matin pour en renouveler l'air confiné. Prendre l'air quelques minutes assainit notre esprit embué.

Un exercice antistress

····⟩ **Position de départ :** debout, jambes tendues, inspirez.

····⟩ **Mouvement :** penchez votre buste en avant en expirant. Fléchissez les genoux jusqu'à coller votre poitrine sur les cuisses. Attrapez vos coudes avec les deux paumes de vos mains et restez ainsi quelques secondes. Recommencez 2 à 3 fois. Respirez tranquillement.

····⟩ **Recommandations :** relâchez complètement vos bras et votre tête. Dans cet exercice, vos jambes travaillent tandis que les lombaires et la colonne vertébrale se détendent.

Aïe, ma tête !

Pour les maux de tête qui se manifestent quand le mental s'emballe, à la suite d'une contrariété, d'une appréhension, d'une activité débordante, d'une situation stressante… et dont les localisations sont variées : front, tempes, nuque, sommet de la tête, quelques solutions « express » existent pour s'en libérer en quelques minutes.

Les gestes qui soulagent

Commencer par une respiration abdominale profonde

Comme vous le savez, la respiration a des effets apaisants certains. N'attendez pas que la crise s'installe, mais respirez dès que vous ressentez les premiers signes de maux de tête. Pour plus d'efficacité, allongez-vous dans un lieu tranquille et si possible à l'abri de la lumière.

Se frictionner la tête !
Faites avec vos doigts des pressions-rotations assez fortes, comme si vous vous faisiez un shampoing-massage, tout en essayant de décoller le cuir chevelu. Les tensions lâchent et petit à petit et la détente s'installe.
Puis massez-vous du bout des doigts le front, le pourtour des sourcils, les tempes, la nuque environ 2 à 3 minutes. À pratiquer dès que vous ressentez une douleur ou à n'importe quel moment de la journée pour lutter contre le stress, la fatigue. En cas d'endormissement difficile, ce massage est efficace car il stimule les nerfs crâniens et en partie le nerf vague, favorisant ainsi l'harmonie des deux cerveaux. Ou bien brossez-vous la tête de haut en bas avec une brosse magnétique (à acheter en pharmacie).

MASSEZ QUELQUES POINTS RÉFLEXES

Massez par pression circulaire forte 2 à 3 minutes chaque point et recommencez toutes les heures jusqu'à disparition de la douleur. Ces points, sensibles à la pression, sont faciles à trouver.

····⟩ **En général :** massez les points d'Arnold, deux points qui se trouvent sur le rebord arrière du crâne, dans un creux à deux doigts derrière l'oreille.

····⟩ **Douleur au front :** massez le point qui se trouve entre les extrémités internes des deux sourcils.

····⟩ **Mal aux tempes :** massez chaque tempe, entre les extrémités externes du sourcil et de l'œil.

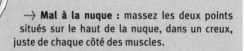

····⟩ **Mal à la nuque :** massez les deux points situés sur le haut de la nuque, dans un creux, juste de chaque côté des muscles.

ACUPRESSION SUR LE PIED EN CAS DE MIGRAINE

Appuyez avec votre pouce ou un autre doigt sur les deux points d'acupuncture situés sur le pied, de façon ferme et constante, environ 2 minutes. Massez des deux côtés en même temps.

1er point

Sur le dos du pied, dans la dépression entre les tendons du premier et du deuxième orteil.

2e point

Dans la dépression située entre les tendons du troisième et du quatrième orteil.

Le toucher façon *reiki*

Dans un endroit calme, posez vos mains sur les yeux et sur le front pendant 3 minutes, sans vous concentrer sur votre douleur et sans aucun jugement. Soyez seulement attentive à vous-même et à vos sensations, à la chaleur de vos mains sur votre visage. Véritable trait d'union entre le corps et l'esprit, cette imposition des mains soulage la douleur.

S'asperger d'eau froide

Passez-vous un jet d'eau froide en dessinant un cercle sur votre visage, puis insistez sur le front et terminez 2 secondes sur chacun des yeux fermés. Laissez réagir avant de les tamponner délicatement avec une serviette légèrement tiède que vous aurez laissée au préalable quelques minutes sur le radiateur. Rien de tel pour chasser les maux de tête et détendre le visage.

Un bain d'eau salée

On ne compte plus les vertus du sel sur notre organisme. Un bain d'eau tiède apaise les tensions nerveuses, et si votre mal de tête est léger, il a toutes les chances de s'évaporer en même temps que vos lourdeurs mentales.

De la glace pour soulager

Allongez-vous quelques instants en vous appliquant un gant glacé sur la zone endolorie ou une vessie remplie de glace sur le front ou le sommet de la tête. Préférez l'obscurité et le calme pour cette pause. Respirez tranquillement en vous laissant aller comme une poupée de chiffon toute molle et complètement immobile. Vos tensions lâcheront progressivement.

DES EXERCICES QUI DÉTENDENT LA NUQUE

Debout, jambes écartées de la largeur des hanches, les bras le long du corps, montez les épaules vers les oreilles en inspirant, revenez en expirant.

Assise en tailleur, laissez doucement tomber la tête vers l'épaule gauche puis l'épaule droite pour étirer les muscles du cou, en respirant tranquillement.

Les recettes qui apaisent

Toujours avoir sur soi de l'huile essentielle de menthe poivrée

Passez sur votre front, vos tempes ou la nuque de l'huile essentielle de menthe poivrée et massez légèrement. Vous aurez aussitôt la sensation que la menthe pénètre dans l'épiderme et vous apaise. Si votre mal de tête est léger, il peut disparaître totalement. Évitez le contour des yeux.

Un cocktail d'huiles essentielles efficace

Versez 1 goutte de menthe, 3 de citron et 5 de lavande dans 1 cuillerée à soupe d'huile d'amande. Mélangez et appliquez sur les tempes, la nuque et le front.

Six cataplasmes de grand-mère au choix

En position allongée :

– Poser des rondelles de citron sur son front pendant 10 minutes environ ou plus...

– Hacher des oignons crus et les appliquer sur le front.

– Si les maux de tête sont d'origine hépatique ou dus à une mauvaise digestion, les s'appliquer sur le front des feuilles de chou écrasées au rouleau à pâtisserie.

– Mouler une poignée de violettes et l'étaler sur le front et les tempes.

– Appliquer des tranches de pomme de terre crue sur les tempes.

– Préparer une compresse de vinaigre et l'appliquer autour de la tête.

Penser à la bouillotte

Cette méthode en général peu recommandée me réussit très bien, alors que la glace ne me soulage pas. Allongée, je place une bouillotte sur la zone qui me fait souffrir jusqu'à ce que la tension lâche.

Boire un café noir corsé, additionné d'un zeste de citron

La caféine soulage le mal de tête en élevant la tension artérielle quand on souffre d'hypotension. Le citron draine le foie et stimule l'organisme. Cette recette, idéale le matin, est à déconseiller le soir si l'on veut bien dormir.

Prendre une tisane de camomille avant le repas

1 cuillerée à soupe pour 1/4 litre d'eau bouillante. Faites infuser 10 minutes. Buvez une tasse chaude, sans sucre ou sucrée au miel. La camomille a de nombreuses propriétés : apéritive, digestive, antispasmodique, antalgique, antiseptique intestinale...

Précautions à prendre en règle générale

– Évitez les excitants (épices, piments, café, viandes trop riches, l'alcool et surtout les vins blancs...), les laitages.

– Consultez un médecin en cas de maux chroniques !

De mauvaise humeur

Quand nous sommes de mauvaise humeur, la vie nous semble un fardeau insupportable. Notre existence nous semble noire. Nous sommes susceptibles. Tout nous irrite, une réflexion, un geste, une attitude...

Nous ne sommes pas toutes égales dans les variations d'humeur. La bonne humeur est spontanée et plus courante chez certaines. Pour d'autres, tout est plus difficile, l'humeur penche plutôt du côté du négatif. Nous le savons, notre moral fonctionne comme une véritable « météo mentale ». Les changements favorables ou défavorables de notre environnement ou de notre biologie régissent notre humeur. Nos cycles féminins jouent aussi un rôle dans les variations de notre moral.

Aujourd'hui, vous vous sentez de mauvaise humeur, vous croulez sous le poids de vos soucis, tout vous agace, que faire ?

Reconnaître ses humeurs et les prendre au sérieux

Arrêtez-vous quelques minutes pour y réfléchir. Car si vous ignorez vos états d'âme, ils vont altérer vos activités et vos comportements. Acceptez donc de les reconnaître : « C'est vrai, je suis de mauvaise humeur. Qu'est-ce qui ne va pas ? Quelle est la difficulté ? »

Mais pas trop !

Mon humeur est-elle légitime ? Y a-t-il un souci ? Jusqu'où va me mener cette humeur massacrante ? Cela justifie-t-il que je me mette tout le monde à dos, que je réponde agacée à la moindre question de mon époux, que je rage toute seule sur chaque détail ? Les thérapeutes cognitivistes proposent à leurs patients de noter de 0 à 10 les soucis du moment, 10 étant la pire des choses qui puisse leur arriver. Eh bien, la majorité des problèmes qui leur polluent le moral se situe entre 0 et 2 !

Se demander si l'on ne se complaît pas dans cette situation

Ne recherchez-vous pas à vous faire plaindre ? Avez-vous vraiment envie de faire des efforts pour prendre les choses du bon côté ? Le tout, c'est de ne pas être dupe de soi-même et de ne pas faire porter le chapeau aux autres !

Agir

Au temps des questions succède l'action pour sortir de cette mauvaise humeur. Se dire que, finalement, tout cela n'est pas si important. Faire une pause de quelques minutes en prenant l'air, par exemple, en écoutant une musique que vous aimez ou la radio vous éloignera de votre humeur maussade. Feuilleter un magazine, jouer avec votre chien ou votre chat, faire plaisir à votre enfant, à votre mari, appeler une personne dont vous n'avez pas de nouvelles depuis longtemps... Un geste pour soi, un geste pour l'autre, rien de tel pour chasser la mauvaise humeur !

Après la pluie, le beau temps !

Sachez aussi vous dire que cela va passer. La vie n'est en effet jamais aussi sinistre qu'elle le paraît. Voyez la situation comme une phase inévitable de la condition humaine, comme un passage, comme un mauvais moment, précédé et suivi d'instants joyeux !

Une tisane de lavande pour se détendre

Mettez environ 50 grammes de fleurs de lavande dans 1 litre d'eau chaude. Laissez infuser 5 minutes et buvez-en 3 ou 4 fois dans la journée. La lavande, connue pour ses vertus apaisantes, vous apportera de la détente et le sourire. Veillez à ne pas dépasser la dose de fleurs de lavande car cela pourrait produire l'effet inverse.

En proie à la colère

Que faire pour calmer sa colère ? Notre humeur nous entraîne parfois trop loin. Nous sommes prêtes à exploser. Que faire pour l'éviter ? Car nous le savons bien, exprimer ce que nous ressentons est nécessaire pour notre équilibre, mais exploser ne sert à rien... Cela agit comme un véritable raz de marée qui nous emporte et détruit tout sur son passage...

Voici quelques «trucs» pour dédramatiser.

Les gestes qui apaisent

Respirer un bon coup !

Face à une dispute qui s'annonce explosive, essayez de ne pas tomber dans la spirale des injonctions qui finiront par blesser l'autre et vous faire mal, reprenez votre respiration en vous concentrant quelques secondes sur votre souffle.

Inspirez profondément 4 à 6 secondes, puis expirez en vidant votre ventre et votre cage thoracique de l'air inspiré jusqu'à ce que votre respiration reprenne son cours tranquille. Cette petite parenthèse vous aidera à prendre de la distance avec votre colère et avec celle de votre interlocuteur. Comme si vous décidiez de sortir du sujet qui mobilise toute votre énergie négative pour y revenir plus détendue. Une bonne manière d'éviter le pire !

Écrire sa colère dans une lettre puis la brûler

Vous nourrissez de sérieux griefs à l'égard d'une personne avec laquelle vous aurez dans quelques jours une explication pour éclaircir la situation. Écrivez tout ce qui vous vient, sans chercher à minorer vos reproches. Laissez courir votre agressivité au fil des mots. Puis brûlez votre lettre et votre colère partira en fumée. Cela vous permettra d'arriver à ce rendez-vous beaucoup plus détendue.

Un coup de klaxon intempestif derrière vous

Ne montez pas sur vos grands chevaux. Au contraire, inspirez et expirez lentement en vous concentrant sur votre respiration. Et cela, plusieurs fois avant de réagir.

OPTER POUR LE BATEAU

Cette posture de yoga est bénéfique pour la détente musculaire et nerveuse.

····▷ **Posture de départ :** allongez-vous sur le dos, les jambes étendues et parallèles, les bras le long du corps. Puis effectuez l'un des deux mouvements suivants.

Mouvement simple

Au cours d'une inspiration, redressez votre tête vers l'avant et tendez les bras de telle sorte qu'ils soient parallèles au sol, sans raidir les épaules et le cou. Puis mettez votre corps en tension complète des pieds à la tête : poings serrés, visage grimaçant, jambes tendues légèrement décollées du sol, pieds flexes et orteils contractés, en veillant à ce que le poids du corps repose sur les fesses, les lombaires et le dos. Relâchez tout d'un coup en expirant par la bouche et en reposant votre tête sur le sol.

Mouvement plus difficile

Au cours d'une inspiration, décollez la tête, les épaules, en appui sur les lombaires, les fessiers et tendez les bras, de façon qu'ils soient parallèles au sol, les mains au niveau des genoux, sans crisper les épaules et le cou. Puis expirez par la bouche d'un coup, en laissant retomber votre corps sur le sol.

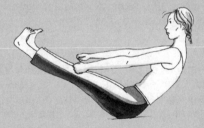

····▷ **Répétition :** à faire entre 3 et 5 fois.

Comme un tigre !

Avancez les jambes légèrement fléchies, le corps souple, avec la démarche majestueuse et sauvage d'un tigre prêt à rugir. Marchez d'un pas lent accompagné de rugissements de fauve ! Faites ce que vous pouvez ! Vous verrez, cette posture issue du qi gong permet en quelques secondes de faire baisser la tension. Elle est de plus excellente à pratiquer au printemps, pour ses effets bénéfiques sur le foie.

Les attitudes qui calment

Se faire un film

Représentez-vous votre interlocuteur, source de votre courroux, en animal, plante ou objet, et vous-même, choisissez votre représentation symbolique. Cela vous permettra en quelques secondes de prendre votre distance et de relativiser votre conflit. Imaginez par exemple votre adversaire en hyène et vous en girafe. Il est naturellement plus méchant, plus agressif, mais vous, vous avez toute la hauteur requise pour être au-dessus de tout cela. Et que peut un si petit animal face à votre grandeur !

Crier à tue-tête dans votre voiture, dans votre salle de bains ou dans la forêt !

C'est l'attitude rêvée pour évacuer vos soucis, pour extérioriser votre colère sans blesser qui que ce soit. Poursuivez avec quelques respirations profondes : une façon de moduler votre humeur, un véritable exercice d'oxygénation de l'organisme.

Se forcer à sourire

Deux bonnes respirations, en pensant à bien détendre vos épaules, suivies d'un sourire. C'est le cocktail idéal pour enrayer la colère. Il est en effet difficile de continuer à se disputer avec une personne qui sourit. Le sourire (le vrai et pas le narquois) calme la colère.

Pas le moral

Dès le réveil, cette sensation ne trompe pas et annonce une journée maussade. Tout s'en mêle : le temps qui affiche sa grisaille, le café qui a un drôle de goût, les traits tirés, la lenteur à choisir sa tenue du jour, la difficulté à se mettre en action... Que faire pour stimuler son moral ?

Une attitude qui console

Verser des larmes quand elles viennent, ça fait du bien !

> *« Et ne pleurer jamais c'est ne pas vivre.*
> *Pleurer, il faut que ça ait lieu aussi.*
> *Si c'est inutile de pleurer, je crois*
> *qu'il faut quand même pleurer. »*
> Marguerite Duras, *Écrire*

Nous contenons nos larmes au travail pour faire bonne figure, à la maison pour préserver nos chères têtes blondes et pour ne pas charger notre époux de soucis supplémentaires. « Il a son lot de problèmes », pensons-nous... Or pleurer, ça soulage. Cela console aussi car nous libérons l'anxiété ou les émotions comprimées au fond de nous. Elles marquent la fin d'une grande tension et le commencement d'une ouverture, d'un appel au réconfort.

Nous pleurons aussi parce que nous sommes déçues, tristes, heureuses, émues, amoureuses... Les pleurs nous permettent d'exprimer tout cela. Laissons-les émerger pour un meilleur équilibre de notre moral.

Les gestes qui requinquent

L'ayurvéda conseille de prendre une douche

Quand on est triste ou qu'on a le cafard, la douche agit favorablement sur le moral, comme un nettoyage de l'humeur triste.

Se faire une beauté !

Se faire une beauté, voilà l'un des meilleurs remèdes pour retrouver le moral.

Commencer par les cheveux

Prendre du temps pour les laver, se masser le crâne, se passer une crème nourrissante sur les pointes ou un masque pour nourrir sa chevelure, cela distrait notre humeur grise. La sensation d'avoir les cheveux propres, brillants, de retrouver du volume, de se coiffer comme l'on veut... suffit parfois à redonner de l'assurance et du plaisir à se maquiller, à s'habiller, à sortir...

Détendre ses yeux

Si vous avez les yeux gonflés, cernés, fatigués, appliquez des compresses de thé ou d'eau de bleuet pendant 4 à 5 minutes, de préférence allongée sur votre lit.

Donner plus d'éclat à son visage

En appliquant un masque éclair. Puis essayez un nouveau fard à paupières, un nouvel eye-liner, un nouveau blush ou un nouveau rouge à lèvres. Cette petite touche originale vous apportera la fantaisie nécessaire pour transformer le regard que vous portez sur vous.

De beaux ongles pour de belles mains

Se faire les ongles des mains en choisissant un vernis d'une couleur plus vive que celle que vous utilisez habituellement, ou vous faire les ongles des orteils...

Une tenue colorée à la rescousse d'un moral en panne

Laissez dans l'armoire les vêtements neutres, trop foncés ou noirs. Sortez une tenue colorée ou pastel selon les événements de la journée. Les couleurs gaies influenceront votre moral sans même que vous n'y preniez garde. Choisir dans sa garde-robe les couleurs les plus gaies illuminera votre journée. Ne minimisez pas l'influence des couleurs sur votre moral et votre entourage. Ainsi, lorsque je dois faire une présentation importante devant des clients, je choisis de préférence des vêtements rouges. Le rouge, universellement considéré comme le symbole fondamental de la force, de la puissance et de l'éclat, m'apporte une énergie supplémentaire. Pleinement consciente de ce choix, je me suis maintes fois aperçue de son impact positif sur mon interlocuteur et sur moi.

Des exercices qui régénèrent

Prendre l'air 5 minutes

Et respirez un bon coup. Faire un exercice de gymnastique, sauter à la corde, danser... ont des vertus d'apaisement lorsqu'on a le cafard. Reportez-vous au chapitre 2, qui traite de ce sujet.

Recourir à la respiration abdominale plaisir

Installez-vous confortablement en position assise ou couchée et fermez les yeux. Effectuez 3 respirations de base puis laissez-vous aller à une respiration calme et régulière.

Visualisez un paysage apaisant, souriant, un endroit que vous aimez (une chambre, une plage, un sous-bois, un coin de campagne...) et abandonnez-vous quelques instants à l'ambiance de ce lieu, aux sensations de plaisir que vous éprouvez, aux odeurs...
Votre respiration agit comme un souffle léger sur le lieu ou le paysage choisi. Laissez-vous bercer dans cette ambiance agréable. Puis, lentement, ouvrez les yeux et revenez à la réalité.

Plein le dos !

Mal de dos, mal du siècle. 70 % d'entre nous souffrent de ce mal, car, la plupart du temps, nos gestes ne sont pas adaptés à notre colonne vertébrale. Nos journées vécues à grande vitesse se terminent souvent avec la sensation d'avoir le dos « cassé ». La pause s'impose : c'est le moment de s'octroyer quelques instants de répit et de s'accorder des gestes réparateurs !

Se masser. Mieux encore, se faire masser !

En urgence, installez-vous dans un endroit calme et massez votre dos. Effleurez votre dos avec vos mains en effectuant des pressions légères sur les points douloureux. Vous pouvez mettre une personne de votre entourage à contribution pour qu'elle effectue des pressions de quelques minutes sur les points douloureux inaccessibles. Le soulagement est le plus souvent immédiat.

Penser au *reiki*
Choisissez un endroit paisible, silencieux, chaud, et la position qui vous convient le mieux, assise ou allongée. Sans trop vous concentrer, posez vos mains sous l'occiput. Cette imposition atténue les tensions et apporte une réelle détente.

Une respiration-contraction-détente-visualisation

Installez-vous confortablement en position assise ou couchée et fermez les yeux. Prenez conscience de votre respiration et effectuez 2 à 3 respirations abdominales profondes. Inspirez pendant 7 secondes et, à la fin de l'inspir, contractez fortement tous vos muscles pendant 2 à 3 secondes puis relâchez tranquillement en expirant. Il faut équilibrer le temps de l'inspir et de l'expir. Il est recommandé de faire cet exercice environ 3 fois jusqu'à ressentir une sensation de détente. Visualisez alors la partie souffrante de votre dos jusqu'à ce que vous ne ressentiez plus aucune douleur. Puis revenez doucement à la réalité en ouvrant les yeux.

ASSOUPLIR SON DOS AVEC DEUX EXERCICES TRÈS SIMPLES

Exercice 1

C'est un exercice que j'affectionne particulièrement et que je fais en rentrant chez moi le soir, lorsque mon dos est contracté ou que le stress m'envahit. Cela m'apporte une très grande détente.

⤳ **Position de départ :** fesses sur les talons, le buste droit, inspirez.

⤳ **Mouvement :** penchez-vous en avant en expirant. Posez le ventre et la poitrine sur les cuisses et tirez vos bras le plus loin devant vous. Puis respirez tranquillement dans cette position et remontez sur l'expiration, à la verticale, le buste droit.

⤳ **Recommandations :** ne décollez pas les fesses des talons, et gardez la tête dans le prolongement de la colonne vertébrale. À faire deux fois.

Exercice 2

⤳ **Position de départ :** à genoux, les genoux écartés de la largeur des hanches, le buste droit. Inspirez.

⤳ **Mouvement :** penchez le buste en avant en inspirant et en poussant les bras au maximum en avant, paumes sur le sol, sans vous accroupir sur vos talons.

Cet étirement est à faire 2 à 3 fois, en prenant tout votre temps, de façon à vous relâcher complètement.

⤳ **Recommandations :** gardez le dos droit et la tête dans le prolongement du corps. Cet exercice provoque une détente musculaire de tout le corps de haut en bas.

UN EXERCICE DE JAMBES POUR DÉCONTRACTER VOTRE DOS

····▶ **Position de départ :** allongée sur le dos, sans cambrer.

····▶ **Mouvement :** pliez une jambe, saisissez la cuisse avec vos mains et levez la jambe dans l'axe de la cuisse.

····▶ **Répétition :** 10 fois chaque jambe.

····▶ **Recommandation :** respirez tranquillement et expirez en tendant la jambe.

Allumer un moxa !
Le moxa est un bâton d'armoise et autres plantes médicinales, incandescent, que l'on passe au-dessus de la peau pour chauffer les points d'acupuncture. On l'allume à une extrémité et on l'applique au-dessus de la peau. La chaleur douce qu'il dégage réchauffe les méridiens et augmente la circulation de l'énergie. Il est très utilisé par les Chinois pour soigner efficacement ce type de douleur ainsi que les rhumatismes, l'arthrose...
Vous pouvez vous procurer chez un marchand chinois un appareil en bois facilitant l'utilisation du moxa. On insère alors dans l'appareil le moxa chauffé préalablement. Son application au-dessus du dos ; pendant 59 secondes, apporte un appaisement instantané. Et appliquez-le sur le dos quelques secondes. Cela apporte un apaisement instantané.

Enduire son dos endolori de baume du tigre

Massez la partie douloureuse avec cette pommade ou de l'huile de tigre une à deux fois par jour. Après une sensation de froid, on ressent un grand soulagement. C'est également très efficace pour les maux de tête.

Avoir recours au cataplasme d'avoine

Faites griller une poignée d'avoine. Mettez l'avoine bien chaude dans un tissu fin et appliquez le cataplasme sur la zone douloureuse.

PRÉCAUTIONS À PRENDRE POUR ÉVITER
CES DÉSAGRÉMENTS

···⟩ **Abandonnez vos talons plats**, qui augmentent les tensions musculaires, et portez plutôt des petits talons (2 à 4 centimètres).

···⟩ **Cherchez à vous grandir le plus souvent** et adoptez ainsi une posture plus dynamique et confortable pour votre dos. Pendant quelques minutes, tirez la tête vers le haut, maintenez les épaules basses, le menton rentré, le bassin contracté dans l'axe de votre colonne vertébrale. Cette posture vous évitera de maltraiter votre dos et vous donnera une allure sportive.

···⟩ **Faites de l'exercice physique régulièrement.** Et chaque fois que vous y pensez, bougez sur votre chaise en remuant vos épaules, en tournant la tête à droite et à gauche ou encore en faisant le dos rond, afin de décontracter vos muscles. Sortez pour une petite marche quelques minutes plusieurs fois dans la journée, les bras ballants afin de vous détendre.

···⟩ **Évitez de porter des paquets trop lourds** et de les soulever en courbant l'échine. Pensez à maintenir votre dos bien droit. Inspirez profondément puis contractez les muscles de l'abdomen et du thorax. Fléchissez vos jambes en expirant, le dos droit. Portez de préférence vos paquets le plus près de l'axe du corps, c'est-à-dire sur votre poitrine ou sur votre dos, et si vous devez les tenir à bout de bras, équilibrez vos charges ou sinon alternez.

···⟩ **Votre lit peut être à l'origine d'une douleur diffuse** que vous ressentez au niveau du dos en vous levant. Une literie bien adaptée ou en bon état vous permettra de garder un dos en forme. Un bon lit doit pouvoir effacer les tensions musculaires de la journée et favoriser le relâchement complet du corps. Optez pour un matelas confortable et ferme pour soutenir votre dos. Mais attention, trop de fermeté peut être aussi néfaste qu'un matelas trop mou, car il fait souffrir la colonne vertébrale. Enfin, préférez un oreiller mou et pas trop épais pour la tête, afin qu'elle soit protégée et que les cervicales puissent se détendre.

Coup de pompe

Si le surmenage, dans vos activités domestiques, professionnelles ou sportives, provoque une trop grande fatigue, quelques attentions bien ciblées relanceront votre énergie ! Choisissez-les en fonction de vos envies.

Les gestes qui dynamisent

Les vertus d'un shampoing pas comme les autres
Frottez-vous les mains énergiquement quelques secondes, en insistant bien sur toute leur de la main jusqu'à ce que vous ressentiez de la chaleur dans vos mains. Avec le bout des doigts, avancez par petites saccades et appuyez fortement sur le cuir chevelu d'avant en arrière, comme pour le décoller, une quinzaine de fois environ. Puis frictionnez votre cuir chevelu du bout des doigts lentement et sans saccades. En cas de coup de pompe pendant votre journée de travail, si votre tête bouillonne, ce massage procure une très grande détente. Il apporte un afflux d'énergie dans le cerveau, dans les méridiens de la vésicule biliaire et de la vessie. Le cerveau s'en trouve ainsi tonifié.

Le bain de bras, véritable accélérateur d'énergie

Plongez vos bras dans l'eau froide jusqu'aux biceps. Cela donne un regain d'énergie, régule la tension, soulage les vertiges et les maux de tête. Durée : 30 secondes environ.

Recommandations : à faire dans une pièce chauffée à température élevée, en couvrant le reste de votre corps pour éviter de prendre froid. Secouez vos mains ensuite pour prolonger l'effet dynamisant de ce bain, sans sécher vos bras.

Tourner 9 fois votre langue dans son bouche

Ce geste de vitalité original s'inspire des techniques orientales. Il s'agit de tourner vigoureusement le bout de sa langue derrière ses dents, 9 fois dans chaque sens. Nommé « danse du dragon sur l'océan de vie », cet exercice est revitalisant en cas de coup de pompe.

Croiser ses doigts...
... de main et de pied, en glissant les doigts de la main droite entre les orteils du pied gauche et réciproquement. Exercice très stimulant à faire quelques minutes seulement.

Secouer ses pieds

Assise ou allongée, cette méthode est excellente pour doper votre énergie. Une façon très rapide de retrouver du tonus.

Frictionner son buste

Commencez par frotter vos mains énergiquement et remontez en frottant votre bras droit puis votre bras gauche. Poursuivez en frottant vos lombaires et terminez par vos épaules.

Pour compléter, vous pouvez battre des bras en les balançant de haut en bas une dizaine de fois.

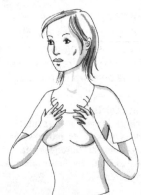

Tapotements à l'indienne

Pour développer une bonne respiration et doper votre énergie, tapotez avec vos deux mains le haut de votre poitrine : en inspirant, utilisez le bout des doigts et, en expirant, faites des petits tapotements avec la paume. Prenez le temps de faire une inspiration et une expiration tranquille et profonde.
À renouveler plusieurs fois.

Faire un son nasal

Posez la main droite sur le sommet de votre tête. Inspirez puis expirez par le nez en faisant un bruit nasal. Cette pratique dynamisante réclame quelques secondes à peine.

Ouvrir la fenêtre

Effectuez quelques respirations fenêtre grande ouverte, pour oxygéner votre cerveau, même en plein hiver. Je me souviens, à l'école primaire, de mon professeur de dessin qui, dès son arrivée dans la classe, exigeait d'ouvrir les fenêtres et nous demandait de nous tourner face à la fenêtre pour respirer. Cela nous faisait beaucoup rire, mais force était de constater que le niveau d'agitation baissait considérablement !

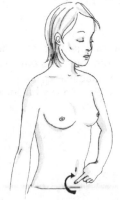

Massage de la mer de l'Énergie

Pour relancer votre tonus dans une période de fatigue, un massage du point de la mer de l'Énergie, situé à deux doigts sous le nombril, sur la ligne médiane, redonne le feu. Effectuez une pression circulaire douce d'environ 5 minutes, en appuyant fermement sur ce point avec la pulpe de votre doigt, sans le déplacer et en massant dans le sens des aiguilles d'une montre. Ce geste tonifie le point d'énergie et relancera la fluidité du méridien traversant ce point, qui ira ensuite irriguer les organes plus profonds.

Stimulez les 10 « déclarations des doigts »
Lorsque vous êtes particulièrement surmenée dans votre travail, vous pouvez relancer votre vitalité en effectuant une pression de l'ongle, de quelques secondes, sur les points « déclarations des doigts » situés au bout de chaque doigt.
À pratiquer une à deux fois par jour, pendant une dizaine de jours.

Un pas de rock'n'roll…

Et le dynamisme revient ! Si le cœur vous en dit, rien de tel que le rock pour chasser la fatigue. Quelques pas esquissés sur un air d'Elvis Presley suffisent à relancer la machine ! Un pur moment de gaieté !

Des recettes qui réconfortent

Un verre d'eau tiède – voire chaude – pour celles qui le supportent

Cela « mettra le feu » à votre corps et agira comme un véritable stimulant pour l'organisme.
Et si vous le buvez à toute allure, cela accélère encore plus son action énergisante.

Une tisane de thym ou de romarin

Ces deux plantes sont réputées pour leur action tonique sur l'organisme, que la fatigue soit physique ou intellectuelle. Préparez une infusion avec 1 cuillerée à café de plante pour 1 tasse d'eau bouillante infusée 10 minutes.

Coup de fouet aux épices

Les épices évoquent les contrées lointaines et parfument nos assiettes de notes originales et subtiles. Assaisonnez vos mets avec du cumin, du curry, du piment, du poivre, du safran, du gingembre, de la muscade… pour leur saveur et leur effet tonique radical lorsque vous vous sentez fatiguée.

En cas de constipation

Très nombreuses sont les causes de constipation : fonctionnelles, organiques ou psychosomatiques. Une alimentation déséquilibrée, le stress, le surmenage, le manque de sommeil, une insuffisance d'activité sportive, peuvent être à l'origine de constipation chronique. Voici quelques recommandations simples et naturelles pour y remédier.

Les gestes qui libèrent

Prendre son temps

L'élimination fait partie des règles de base de la bonne santé et de la longévité. En principe, les intestins doivent éliminer une fois par jour, souvent immédiatement après le petit déjeuner. Cette régularité dépend de la qualité des aliments consommés et du respect d'une bonne hygiène de vie, basée sur un régime alimentaire, un sommeil équilibré, de l'exercice et du rire ! Le stress peut provoquer des troubles de votre système nerveux et déranger votre transit intestinal.

Le stress et la rapidité avec laquelle vous devez vous préparer le matin vous empêchent de prendre le temps d'éliminer. Installez-vous quelques minutes aux toilettes après le petit déjeuner, avec un peu de lecture, et détendez-vous !

Très efficace, la posture d'élimination

Position de départ : étendue sur le dos, les jambes allongées et tendues, respirez.

····} **Mouvement :** en expirant, remontez la jambe droite sur l'abdomen, saisissez le genou des deux mains en entrecroisant les doigts, en rentrant le menton sans contracter la gorge. Les épaules doivent être relâchées, la jambe au sol droite, le pied pointant en avant sans crispation. Maintenez la position aussi longtemps que vous le souhaitez. Respirez librement. Puis décroisez les mains et reprenez la position de départ.

Recommencez la posture avec l'autre jambe.

Vous pouvez faire plusieurs cycles avec l'une puis l'autre jambe et terminer la posture avec les deux jambes repliées en même temps.

Massage qi gong du ventre

⋯⟩ **Position de départ :** debout ou assise, pieds parallèles écartés de la largeur des hanches. Posez votre main droite sur le « Dan Tian » (point situé sous le nombril), main gauche par-dessus pour les femmes (le contraire pour les hommes).

⋯⟩ **Massage :** effectuez 50 à 100 grands mouvements circulaires dans le sens contraire des aiguilles d'une montre. Montez par la droite et descendez par la gauche et en appuyant bien sur le ventre.

⋯⟩ **Recommandation :** effectuez ces cercles en respirant tranquillement.

Très doux et efficace, le lavement à base de décoction de camomille

En cas de constipation occasionnelle, faites cuire la plante 3 minutes dans de l'eau suivant la proportion suivante : 2 cuillerées à soupe pour 2 verres d'eau. Filtrez et faites refroidir.

Puis instillez-le doucement, par la canule de la poire de lavement, dans l'anus.

Les recettes qui améliorent le transit

Au lever à jeun, boire un grand verre d'eau

Tiède pour une constipation spasmodique (en cas de contraction brusque, violente et involontaire de l'intestin), ou plutôt froide pour une constipation atonique (quand l'intestin manque de tonicité et d'élasticité).

Huile d'olive avec du citron à jeun

Prenez 1 cuillerée à café ou à soupe d'huile d'olive avec un jus de citron frais à jeun.

Les graines de lin ou de son favorisent le transit

Commencez la journée en prenant 1 cuillerée à soupe de lin ou de son. En complément, vous pouvez prendre, si nécessaire, 1 cuillerée de psyllium le soir avant le dîner.

Manger des crudités variées midi et soir

En les accompagnant d'une sauce de salade préparée avec moitié huile d'olive et moitié huile de noix.

Déguster de la rhubarbe

En compote ou en confiture.

Huile de ricin

Buvez une décoction de gingembre avec de l'huile de ricin (recette ayurvédique). L'huile de ricin marche très bien également sans gingembre.

Manger à jeun des figues ou des pruneaux

Faites-les macérer toute la nuit dans un bol rempli d'eau. Buvez l'eau de trempage et mangez-y les fruits le matin à jeun.

Manger du pollen

Les abeilles se nourrissent de miel et de pollen. Tout le monde connaît le miel et sait qu'il est fabriqué à partir du nectar des fleurs que l'abeille récolte puis transporte sur ses pattes postérieures sous forme de petites boulettes jusqu'à la ruche où elle l'entrepose. D'après de nombreuses expérimentations, l'indication majeure du pollen est la régularisation des fonctions intestinales. Non seulement il normalise le transit, mais il arrête le syndrome de fermentation avec douleur et gaz coliques. Et ce qui peut sembler paradoxal, il guérit également les diarrhées. C'est également un aliment de santé, générateur de vitalité.

Prendre entre 1 cuillerée à café et 1 cuillerée à soupe par jour. Adaptez en fonction de la régularisation du transit. À déconseiller cependant aux personnes allergiques au pollen.

Une tisane aux vertus dépuratives

Effectuez un mélange équitable de mélisse, de menthe, de guimauve, de mauve, de souci, d'anis vert et de bourdaine. Faites bouillir de l'eau et laissez infuser ce mélange une dizaine de minutes.

Autre mélange efficace en cas de constipation : dent-de-lion, chicorée, menthe et fenouil. À préparer comme ci-dessus.

Lorsque le sommeil nous résiste

Contrairement aux idées reçues, compter les moutons demande au cerveau de maintenir son attention et peut même générer un certain agacement, deux états peu propices au sommeil. Pour favoriser votre endormissement, vous devez respecter votre rythme de sommeil : des horaires réguliers associés à un temps suffisant. Mais aussi évacuer toutes les tensions de la journée, instaurer des rituels de coucher et favoriser tout ce qui apporte calme et sérénité.

Des gestes qui préparent l'endormissement

Oublions les moutons et comptons vnos respirations en pratiquant le yoga nidra

On peut ajouter à la pratique du yoga nidra, développée dans le chapitre 3 (p. 117), une variante pour accélérer l'endormissement. Lorsque vous êtes parfaitement relâchée, commencez à respirer en pensant au souffle dans les narines, dans la gorge, dans le nombril ou dans la cage thoracique.

Puis décomptez vos respirations à rebours, de 11 à 1, de la façon suivante, en prononçant mentalement : « 11, j'inspire par le nez, 11, j'expire par le nez, 10, j'inspire par le nez, 10, j'expire par le nez… » et ainsi de suite. Vous pouvez imaginer également que vos respirations se font par le ventre, les poumons ou par la gorge. Votre mental décroche petit à petit pour se focaliser sur la respiration et le sommeil arrive…

Recommandation : faire cet exercice dans la fluidité, sans chercher à vous concentrer et sans tension.

Se masser les orteils

Installez-vous dans un endroit calme et commencez par bouger vos orteils. Puis massez chaque orteil en vous attardant sur les contours et les intervalles entre chaque orteil. Ce massage détend les muscles de la nuque et le cerveau. Cela remet les idées à leur place et calme les émotions.

Se frotter la partie se trouvant derrière les oreilles
Avec les 2e et 3e doigts, de haut en bas. Faites descendre l'énergie vers le bas pour trouver un apaisement. Ou bien massez le point localisé dans le creux derrière la pointe osseuse (os mastoïde) se trouvant derrière l'oreille. Ce point est sensible à la pression. Massez-le des deux côtés, en douceur par pression circulaire forte.

Oser le bain de pieds dans de l'eau froide

Trempez vos pieds dans l'eau froide jusqu'à mi-mollets, pendant une trentaine de secondes. Cette méthode préconisée par l'abbé Kneipp est très efficace pour l'insomnie, surtout si vous la pratiquez 3 à 7 soirs par semaine. Veillez à bien chauffer la pièce dans laquelle vous vous trouvez et à couvrir toutes les autres parties du corps, afin de ne pas prendre froid.

Un bain de pieds salé

Plongez vos pieds dans une eau tiède ou chaude – selon votre seuil de tolérance – dans laquelle vous ajoutez une poignée de gros sel. Le sel purifie et draine les mauvaises énergies ou les lourdeurs nerveuses. Un bain de pieds a des effets aussi bénéfiques qu'un bain complet du corps. Au bout de 10 minutes, vous ressentirez une relaxation profonde de votre corps et de votre mental, comme si vous déposiez au fond de la baignoire ou du récipient vos soucis de la journée.

Se plonger dans un bain tiède

Idéal pour faire descendre la température corporelle. Un bain tiède est agréable et facilite l'endormissement. Quelques gouttes d'huiles essentielles parfumeront l'ambiance de votre salle de bains et par leur effet calmant vous prépareront à passer une bonne nuit.

Trois points réflexes sur le visage
Massez par pression pendant 3 à 5 secondes trois points situés sur le visage, entre les deux yeux et au-dessus de l'arcade sourcilière. Recommencez plusieurs fois jusqu'à ressentir un certain apaisement. Cela favorise l'endormissement et calme la tension nerveuse ou la migraine.

Masser un point d'acupuncture sur le pied
Ce point se situe sur le dos du pied, dans la dépression entre les tendons du 1er et du 2e orteil. Masser les deux pieds en même temps entre 5 et 10 minutes.

Précautions à prendre

▶ Une température corporelle basse facilite l'endormissement. Évitez donc tout ce qui l'élève : boire du café ou de l'alcool, manger trop de protéines (viande ou poisson) ou encore faire du sport le soir.

▶ Mangez à votre faim le soir car il est difficile de s'endormir le ventre vide. La maxime populaire « qui dort dîne » ne vient pas contredire ce conseil. Elle avait en effet un tout autre sens au Moyen Âge, car cette phrase figurant sur la devanture de certaines auberges obligeait les voyageurs à dîner s'ils dormaient. Ne mangez pas trop pour autant. La lourdeur d'un repas peut rendre votre endormissement plus difficile.

▶ Mettez-vous au lit au bon moment, ni trop tôt ni trop tard ! Référez-vous à votre horloge biologique personnelle.

▶ Dormez dans une chambre avec une température ambiante de 16 à 18 °C maximum. À la condition d'être bien couverte, le sommeil est bien meilleur si la température reste fraîche. De plus, trop de chaleur fragilise l'organisme.

Mal au ventre

À la moindre tension ou douleur abdominale, mon premier réflexe est de faire quelques respirations profondes et de me masser le ventre. C'est radical, je ressens un soulagement immédiat !

Pierre Pallardy, ostéopathe et diététicien, traite avec succès, depuis de nombreuses années, ses patients à partir du ventre, véritable deuxième cerveau dont le rôle est fondamental pour notre santé. D'après lui, tous nos «problèmes de fatigue, d'insomnies, de kilos superflus, d'allergies et nos nombreux autres maux… sont la conséquence d'emplois du temps délirants et viennent de notre ventre ».

L'intestin n'est pas un organe qui va faire battre le cœur de qui que ce soit ! C'est une partie de l'anatomie qui, par sa forme de serpent et son contenu malodorant et dégoûtant, nous répugne… Et pourtant, « nos intestins ont leur propre intelligence », nous affirme le professeur Mickael D. Gershon de l'université de Columbia (New York). Il a également démontré l'existence d'une activité chimique réciproque entre les deux cerveaux à travers le nerf vague. Des études scientifiques réalisées par des chercheurs américains en apportent la preuve, en démontrant que notre santé dépend de la bonne coopération entre nos deux cerveaux.

Les gestes qui détendent

Effleurer son ventre avec ses mains

En position assise ou de préférence allongée, repliez vos jambes. Respirez doucement puis massez en profondeur la région douloureuse. Inspirez en gonflant votre ventre quand vous effectuez une pression et expirez en relâchant votre ventre.

Un massage viscéral complet

En position assise ou allongée sur le dos de préférence, faites une respiration abdominale lente et profonde. Concentrez-vous bien en plaçant vos mains sur le ventre afin de le sentir s'arrondir puis se vider chaque fois que vous faites une inspiration et une expiration. À l'inspiration, poussez le nombril vers le ciel sans contracter les abdominaux et à l'expiration, poussez le nombril vers le sol. Liez bien l'inspiration et l'expiration.

Masser son visage et sa tête !
Effleurez avec vos doigts vos mâchoires en insistant sur les points douloureux sur lesquels vous ferez des pressions circulaires. Puis déplacez vos doigts le long du nez, autour des yeux, le long des sourcils, sur les tempes et le front jusqu'au nerf ophtalmique au sommet du crâne. Cela en douceur sans effectuer de friction. Vous stimulez ainsi les nerfs crâniens du premier cerveau, directement connecté au nerf vague qui harmonise le ventre. Cet automassage a des effets très bénéfiques.

Ou masser son abdomen avec de l'huile essentielle de lavande

Dans un mouvement souple, massez votre ventre en suivant le sens des aiguilles d'une montre jusqu'à ce que votre ventre se détende. Pour une plus grande détente, utilisez une huile de massage ou de l'huile d'amande douce dans laquelle vous aurez ajouté quelques gouttes d'huile essentielle de lavande fine. Environ 5 gouttes de lavande pour 1 cuillerée à café d'huile de massage.

Tenter le bain de siège si on n'est pas frileuse

Chauffez votre salle de bains et remplissez d'eau froide votre bidet ou – si vous n'en avez pas – votre baignoire afin de recouvrir le haut des cuisses et le nombril. Habillez le reste de votre corps afin de ne pas prendre froid. En sortant au bout de 1 à 10 secondes, ne vous essuyez pas et agitez vos bras et vos jambes pour vous réchauffer et prolonger les effets de ce bain sur votre organisme. C'est bon pour la circulation de l'énergie dans le ventre.
Pris quotidiennement pendant sept jours avant les règles, il combat les règles douloureuses.

Bouillotte pour ventre contracté

Remplissez-la d'eau chaude et placez-la sur votre ventre quelques minutes, tout en respirant tranquillement. Vos tensions ou vos douleurs se relâcheront progressivement pour laisser place à l'apaisement.

Remèdes de grands-mères pour petits maux courants

Nos grands-mères avaient l'art de trouver des réponses simples et naturelles aux petits bobos de la vie. Et ça marchait ! Avec les progrès de l'industrie pharmaceutique, nous avons peu à peu oublié les bienfaits de ces recettes merveilleuses. Je vous propose d'en retrouver certaines qui, en quelques minutes, soigneront vos petits maux ordinaires.

Aigreurs d'estomac

Infusion de basilic

Faites infuser 30 grammes de basilic dans 1 litre d'eau bouillante pendant 10 minutes. Consommez 2 à 3 tasses par jour entre les repas.

Infusion de menthe

Laissez infuser 50 grammes de menthe dans 1 litre d'eau bouillante. Filtrez et servez cette infusion deux fois par jour après les repas.

Soigner les ampoules

Faites un cataplasme au *chou* : mettez à cuire un morceau de feuille de chou dans du lait, égouttez-le et appliquez-le sur l'ampoule en le maintenant avec un pansement ou un bandage.

Ballonnements

Infusion de fenouil

Faites bouillir 1 litre d'eau et laissez infuser environ 40 grammes de feuilles de fenouil séchées pendant 10 minutes. Buvez une tasse après chaque repas.

Infusion d'estragon

Laissez infuser 30 grammes de feuilles d'estragon dans 1 litre d'eau bouillante. Avalez le contenu d'une tasse après chaque repas.

Désinfecter les bobos

Mettez sur les éraflures, coupures et piqûres d'insectes une goutte d'huile essentielle de lavande officinale pour désinfecter et cicatriser.

Quand on se brûle la langue après avoir bu ou mangé trop chaud

Mettez un peu de yaourt nature sur la zone endolorie et laissez poser quelques secondes. Cela ne soigne pas mais apaise légèrement.

En cas de brûlures légères

Appliquez *un cataplasme de blanc d'œuf* battu en neige et laissez-le agir quelques minutes pour calmer la douleur.

Cataplasme de carottes : râpez une carotte et appliquez la pulpe fraîche sur la brûlure pendant quelques minutes.

Besoin d'uriner souvent

Buvez matin et soir du jus de gingembre sucré.

Chute de cheveux

Consommez du *germe de blé biologique*, en délayant 1 à 2 cuillerées de cette farine avec de l'eau, ou du lait d'amandes ou encore en le mélangeant avec un yaourt.

Frottez *les ongles de vos deux pouces* l'un contre l'autre, plusieurs fois par jour, selon la recommandation du Dr Tran. Cette action stimule des points ayant une action efficace sur la repousse des cheveux. Vous pouvez également frotter les ongles de vos gros orteils.

En cas de chute répétée, activez la circulation sanguine de votre crâne en massant le point indiqué sur le schéma. Ce point très sensible à la pression est situé au sommet de la tête sur la ligne joignant le haut des deux pavillons de l'oreille. Faites une pression-rotation de ce point pendant 2 à 3 minutes avec la pulpe de votre index plusieurs fois dans la journée.

Frictionnez votre cuir chevelu avec *une décoction de thym* : faites bouillir 1 litre d'eau avec 1 verre de thym. Laissez réduire de moitié. Puis effectuez une friction de votre cuir chevelu avec cette décoction chaque matin. Vous pouvez faire la même chose avec des feuilles fraîches d'ortie.

Diarrhée légère

Buvez de *l'eau de riz blanc* obtenue en faisant bouillir 3 à 4 cuillerées de riz dans 50 centilitres d'eau. Consommez plusieurs tasses bien chaudes par jour.

En été, buvez du *jus de myrtilles*.

Quand votre foie est engorgé

Buvez du *jus de radis noir* à jeun le matin. Passez à la centrifugeuse le radis noir et remplissez un verre.

Consommez *1 cuillerée à soupe d'huile d'olive*, le matin à jeun.

Prévenir la «gueule de bois»

Prenez un *jus de citron tiède* sans sucre pour aider la vésicule biliaire à se vider.

Buvez *beaucoup d'eau* avant et après le repas, pour éviter les maux de tête, car l'alcool déshydrate énormément. De même, au cours de la soirée, alternez eau et boissons alcoolisées, car l'eau dilue l'alcool qui passe ainsi moins vite dans le sang.

Après un repas bien arrosé

En rentrant, sirotez lentement *un verre de cola* qui réhydrate et réduit les nausées.

Lavez-vous la tête à l'eau froide, si votre tête est lourde.

Massez-vous le crâne, lavez-vous les cheveux et rincez-les à l'eau froide.

Prenez une douche froide si vous n'êtes pas frileuse !

Le lendemain, faites-vous *une tisane de thym ou de romarin* pour tonifier votre système digestif.

- Pensez aussi au *«rince-cochon»*, vieille recette composée d'un jus de citron, de vin blanc et de limonade à parts égales, pour nettoyer le système digestif.

- *Masque au persil et à la carotte* pour un teint brouillé. Appliquez sur la peau un cataplasme fait à partir d'une purée de carotte crue et d'un bouquet de persil (feuilles et tiges).
- Gardez une dizaine de minutes puis nettoyez votre visage à l'eau tiède. Votre visage aura retrouvé éclat et souplesse.

- Faites une cure de *lait d'argile* pendant la semaine qui suit vos excès de table, afin de débarrasser votre corps du surplus de toxines. Avant de vous coucher, mélangez dans un verre d'eau 1 cuillerée à soupe d'argile en poudre et laissez reposer toute la nuit. Le lendemain matin, buvez l'eau dans laquelle l'argile a reposé.

Mauvaise haleine

- Buvez de *l'eau de raisins noirs* secs trempés avec du sucre.

- Effectuez après chaque repas un gargarisme *à l'eau chaude avec du sel*.

- Mangez du *persil frais*.

Muscles douloureux

- Mélangez 4 gouttes d'huile essentielle de *gingembre* et 4 gouttes de *menthe* dans 1 cuillerée à soupe d'huile d'amande douce. Et appliquez sur les muscles endoloris aussi souvent que nécessaire.

Massez les mains et les jambes avec un mélange de *jus d'oignon et de poivre noir en poudre.*

Prenez un bain chaud à la camomille

Faites bouillir 50 grammes de camomille dans 1 litre d'eau. Après l'avoir filtrée, versez cette préparation dans un bain chaud et plongez-vous dans l'eau.

Nausées

Mixez un *quart de noix muscade* avec 1 cuillerée *de miel* et mangez cette préparation. Ce mélange, conseillé par un médecin ayurvédique à ma fille aînée, lors d'un séjour que nous avions fait dans le Kerala, avait formidablement bien marché !

Un massage «menthe-gingembre-citron»

Versez 6 gouttes d'huile essentielle de menthe, 3 de gingembre et 6 de citron dans 1 cuillerée à soupe d'huile d'amande douce. Mélangez et appliquez sur l'estomac.

Infusion de menthe ou d'armoise

Laissez infuser quelques feuilles de menthe ou d'armoise dans de l'eau bouillante durant une dizaine de minutes. Buvez 2 à 3 tasses par jour de préférence entre les repas.

Palpitations

Mangez *2 pommes* biologiques crues, la première le matin à jeun et l'autre le soir avant de vous coucher.

Buvez *une infusion de romarin* après les repas. Laissez infuser environ 50 grammes de fleurs de romarin dans 1 litre d'eau bouillante. Consommer 2 à 3 tasses par jour.

Rhumes et grippes

Inhalation

Versez 5 gouttes d'huile essentielle de citron et 5 d'huile essentielle de menthe dans un bol d'eau chaude. Placez une serviette par-dessus la tête et le bol, inhalez pendant 5 minutes.

Vous pouvez aussi faire *des inhalations de thym* additionné de quelques gouttes d'huiles essentielles d'eucalyptus.

Infusion de thym

Faites bouillir 1 litre d'eau dans lequel vous laissez infuser 50 grammes de thym pendant 10 minutes. Consommez 3 tasses par jour entre les repas.

Décoction d'oignon

Faites bouillir 3 à 4 oignons coupés en rondelles dans 1/2 litre d'eau pendant 10 minutes. Filtrez le bouillon et ajoutez du miel. Buvez bien chaud 3 tasses par jour au cours de la journée.

Toux

Sucez doucement 3 grammes de *poivre noir* en poudre avec du *miel*, matin et soir. Pour les rhumes et la toux, le poivre blanc est aussi très efficace (recette ayurvédique).

Transpiration excessive des aisselles

Réduisez en poudre des *feuilles de sauge séchées* que vous mélangez avec 1 cuillerée à soupe de talc et appliquez cette mixtion sur vos aisselles.

Vermifuges naturels

Faites une cure de *carottes* crues pendant 4 à 5 jours.
Broyez quelques feuilles de *chou* à la centrifugeuse et buvez le jus à jeun le matin.

PRÉCAUTIONS À PRENDRE ET CONTRE-INDICATIONS À CES REMÈDES NATURELS

Une grande prudence préside à l'utilisation des huiles essentielles qui peuvent provoquer brûlures, irritations, allergies et autres désagréments. Avant toute application sur la peau, diluez l'huile essentielle dans une huile végétale et testez-la sur un poignet ou l'intérieur d'un coude.

L'huile essentielle de menthe est à éviter pendant les trois premiers mois de grossesse ou chez les enfants de moins de 2 ans.

L'huile essentielle de gingembre peut irriter la peau.

Le week-end

Allier le futile à l'agréable

Rien de tel que le futile pour déjouer les tracas de la semaine !

À la recherche de petits plaisirs

Feuilleter un magazine, lire une recette de cuisine ou un poème, surfer sur Internet, découvrir un nouveau site...

10 minutes de lèche-vitrine

Découvrir les nouvelles tendances de la mode, rêver sur les destinations du bout du monde qu'une agence de voyages met en scène dans sa vitrine, admirer une belle bague, des escarpins d'une couleur originale. Et pourquoi pas, craquer pour une paire de boucles d'oreilles lorgnées une bonne dizaine de fois dans la boutique d'en face.

Savourer un achat

Quel qu'il soit. Je tiens ce conseil d'une guide que nous avions en Inde, lors de notre séjour à Madras. Cette femme exprimait la joie de vivre. Ses moyens financiers très faibles ne lui permettaient pas de faire beaucoup de dépenses personnelles. Elle n'allait quasiment jamais au restaurant et confectionnait elle-même tous ses habits. Elle aimait qu'un achat soit un événement. Il fallait le désirer, y réfléchir et l'apprécier. Elle aimait prendre son temps pour acheter et savourer son achat.

Plaisir dont nous prive la société de consommation qui nous pousse à acheter très vite, sous l'impulsion d'une mise en avant alléchante ou d'une publicité bien faite. Cette précipitation nous éloigne souvent de notre propre envie et nous fait désirer ce que les fabricants décident pour nous.

Acheter une belle chose, qu'elle soit futile ou non, dans la conscience de ce que nous désirons, voilà ce que je retiens de cette rencontre et que j'essaie d'appliquer à la plupart de mes achats. En ai-je vraiment envie ? Est-ce que ça me fait plaisir ? C'est ainsi que les objets les plus anodins deviennent de véritables cadeaux pour soi !

Se déhancher au rythme du houla-hop

Tocade des années 1958-1959, le houla-hop (ou cerceau) revient en force. Ce sport ludique a d'ailleurs donné naissance à une danse illustrée par Adriano Celentano. Cela consiste à faire tourner autour de la taille un anneau de tube plastique par un déhanchement rythmé. Pour y mettre plus de piquant ou d'entraînement, vous pouvez écouter, tout en vous balançant sur vos hanches, la musique des années 1960, d'Elvis Presley à Bill Halley, en passant par les Chats sauvages et les Chaussettes noires...

····⟩ **Position de départ :** placez le houla-hop à hauteur de votre taille, les pieds légèrement écartés.

····⟩ **Mouvement :** lancez le cerceau d'un coup sec sans trop forcer, puis faites tourner votre bassin en suivant le mouvement du houla-hop, sans bouger le reste du corps.

····⟩ **Précautions :** choisissez le bon diamètre de cerceau – plus il est grand, plus ce sera difficile de vous déhancher. À éviter si vous avez des problèmes de dos, de cervicales, de ventre, de lombaires ou si vous êtes trop raide !

····⟩ **Conseils :** ne forcez pas et restez droite en conservant néanmoins une position souple.
Effectuez des pauses toutes les 3 minutes. Peu à peu, vous pourrez augmenter l'intensité pour arriver à 10 minutes consécutives. C'est bon pour travailler la spiralité, pour la souplesse, l'endurance, la circulation de l'énergie.
Vous trouvez des houla-hop en vente dans les magasins de sport et de jouets.

Les secrets de beauté d'antan

Le visage

Débarrassez votre peau de ses impuretés grâce au thym

J'affectionne particulièrement les recettes simples à base de produits naturels faciles à trouver. Celle-ci en est une que ma fille cadette pratique régulièrement.

Versez de l'eau bouillante dans un grand bol et ajoutez quelques feuilles de thym. Exposez votre visage aux effets de la vapeur après avoir protégé votre chevelure avec une serviette de bain. Cette fumigation permet de nettoyer la peau en profondeur grâce aux propriétés antiseptiques, purifiantes et régénérantes du thym. Vous verrez, au bout d'une dizaine de minutes, votre teint sera plus clair et votre peau très douce.

Un zeste de citron vert pour chasser les points noirs et les petits boutons

Pendant quelques secondes, frottez ce zeste doucement sur les zones à problèmes. Renouvelez jusqu'à leur disparition.

Le masque express d'autrefois

Mélangez un œuf battu à un peu de yaourt nature et appliquez cette préparation sur votre visage démaquillé. Laissez reposer une dizaine de minutes et rincez à l'eau tiède puis fraîche. Ce masque assouplit la peau et lui donne de l'éclat.

Le masque antigonflette pour yeux fatigués !

On se réveille, les yeux gonflés, le regard terne. Le masque à l'eau de bleuet est efficace pour apaiser nos yeux fatigués. Imbibez deux compresses d'eau de bleuet et laissez-les reposer sur vos yeux, non maquillés, une dizaine de minutes. Vous verrez, l'eau de bleuet fait des merveilles !

Exit les poches sous les yeux, grâce aux compresses de thé vert glacé

Mettez au congélateur des sachets de thé vert humidifiés et appliquez-les sur vos poches jusqu'à ce que ces sachets se réchauffent.

Le corps

Un bain d'huile d'amande douce pour vos coudes et vos mains

Cette huile extraite à partir d'amandes douces est utilisée en cosmétique pour ses propriétés bienfaisantes pour la peau : cicatrisante, anti-inflammatoire, antiseptique et régénérante.

Si vous avez les coudes rugueux, faites-les tremper dans un bol dans lequel vous aurez versé quelques gouttes d'huile d'amande douce, environ 10 minutes. Ce soin vient en complément d'un ponçage quotidien de vos coudes sous la douche ou dans votre bain.

Si vos mains sont abîmées, faites tremper chaque face dans un bain d'huile d'amande douce que vous aurez fait tiédir auparavant au bain-marie. Puis au bout d'une dizaine de minutes, lavez vos mains avec du savon de Marseille et massez-les avec de la glycérine.

Les cheveux

Cure de pollen biologique

Pour embellir vos cheveux, votre peau et vos ongles, faites des cures de pollen biologique au printemps et à l'automne. Prenez 1 cuillerée à soupe par jour. Toutes les vitamines du groupe B sont présentes, excepté la B12, ainsi que les acides aminés soufrés.

Un masque à l'avocat

Pour avoir des cheveux brillants, le masque à l'avocat est épatant. Après votre shampoing, appliquez sur votre chevelure humide un masque obtenu en mixant un avocat. Laissez-le reposer une dizaine de minutes. Et rincez abondamment.

Jus d'orties

Ajoutez du jus d'orties (obtenu à partir d'un bouquet de feuilles fraîches infusées dans 1 litre d'eau) au shampoing si vos cheveux sont secs et cassants.

Huile crue de lin ou de tournesol

Et si vous perdez vos cheveux ou s'ils sont gras, ingurgitez environ 2 cuillerées à soupe d'huile crue de lin ou de tournesol. L'ajout d'une décoction de feuilles de noyer à votre shampoing est également bénéfique.

Du citron pour les pellicules

Si vous avez des pellicules, l'ayurvéda conseille de vous frotter la tête avec un demi-citron.

Les ongles

Un bain de jus de citron tiède

Le jus de citron est connu pour ses vertus tonifiantes, détergentes et purifiantes. Pressez un citron et versez le jus dans un bol d'eau tiède. Faites tremper vos doigts une dizaine de minutes pour chaque main. Le jus de citron est connu pour ses vertus tonifiantes, détergentes et purifiantes. Essuyez ensuite vos ongles avec un mouchoir en papier. Vos ongles seront tonifiés, propres et très doux au toucher.

Rendre ses mains plus vivantes, plus légères, plus ailées

C'est amusant, c'est facile et cela prend quelques minutes seulement ! Ces mains qui accompagnent tous nos gestes avec plus ou moins d'exubérance s'expriment trop souvent en silence. Et pourtant, elles ont leur propre personnalité, leur caractère, leur sensibilité. Repensons aux mains si parlantes de Juliette Gréco ou d'Édith Piaf, et sachons que les nôtres seront amies ou ennemies en fonction de l'intérêt que nous leur porterons.

Nos mains, sans cesse sollicitées, « travaillent pour nous » en continu. Utilisons-les autrement, en nous amusant, en les assouplissant. Cette pause ludique vous assurera une détente immédiate.

Comptez avec vos doigts en les dissociant !

Comptez jusqu'à 5 avec vos doigts. Fermez vos poings en repliant vos doigts et dépliez chaque doigt en commençant par le pouce, l'index, le majeur, l'annulaire et l'auriculaire.

Puis faites la même chose en commençant par l'auriculaire, l'annulaire, le majeur, l'index et le pouce. C'est un peu plus difficile. C'est ainsi que comptent les Chinois !

Des mains plus musclées

Prenez 2 balles en caoutchouc du bout des doigts. Pressez tour à tour avec chacun de vos doigts ou plusieurs, suivant votre caprice ou leur force. Et si la balle cède ou se creuse sous la pression, bravo !

Des mains plus souples

Frottez-vous les mains à la manière du qi gong : dessus, dessous, sur les côtés, en pressant vos doigts les uns contre les autres, sans oublier de masser la pulpe du bout de chaque doigt avec la paume de l'autre main. Remontez ensuite jusqu'aux poignets et effectuez des massages souples en faisant bouger vos articulations.

Veillez à effectuer ces massages sans contracter vos épaules, complètement relâchée, attentive à vos mains et aux sensations de chaleur et de bien-être qui en découlent.

Des mains agiles

Posez 5 allumettes sur une table. Relevez chaque allumette entre chaque doigt de vos deux mains. Cet exercice demande de la patience et de la concentration.

Des mains plus blanches

Trempez vos coudes dans l'eau tiède une dizaine de minutes, votre circulation s'en trouvera améliorée et l'aspect rugueux de vos coudes également. Vos mains seront plus blanches.

Pour être bien tout simplement
Posez les mains paume contre paume et croisez les doigts sans les plier. Frottez de haut en bas les côtés des doigts environ 1 minute.
Puis placez les mains l'une contre l'autre, doigts croisés. Mettez le pouce gauche sur le pouce droit en tenant les mains à hauteur du cœur et ressentez bien les côtés des doigts en contact les uns avec les autres. Tenez la position entre 1 et 5 minutes. Ce moment immobile est un temps pour soi très ressourçant.
Il stimule les sens et notamment celui du toucher.

Affermir son visage

Tonification de la bouche

Respirez tranquillement. La tête bien droite, la bouche légèrement ouverte, étirez très lentement les coins de la bouche en suivant une ligne horizontale.

Tenez 5 secondes.

Puis resserrez les coins de la bouche en suivant toujours cette ligne horizontale. Restez ainsi 5 secondes en respirant tranquillement. Et faites une pause de 5 secondes.

Renouvelez une dizaine de fois ces 3 séquences. Cet exercice tonifie les muscles de la bouche et retarde l'arrivée des rides.

À effectuer devant le miroir de votre salle de bains.

Doux pincements pour un visage plus tonique

La méthode Jacquet, fondée sur le pincement de la peau, propose une véritable gymnastique du visage. Ces pincements activent la circulation sanguine, tonifient et oxygènent les muscles, les revitalisent et ralentissent les effets du vieillissement. Mais tout en douceur pour ne pas abîmer les tissus.

Prenez un peu de peau entre le pouce et l'index, sans tirer, et renouvelez ces petits pincements sur le cou et toute la surface du visage, de bas en haut pour le cou et le bas du visage. À faire 1 minute environ.

Recommandations : évitez le contour de vos yeux et surtout agissez avec beaucoup de délicatesse.

Un massage antirides grâce à la digipuncture

Massez matin et soir chaque zone en suivant le sens des flèches. Utilisez la pulpe de vos doigts et insistez 3 à 5 secondes sur chaque partie de votre visage selon l'ordre suivant :

1 – Cuir chevelu
2 – Rides frontales
3 – Rides autour des yeux
4 – Poches des yeux et des bajoues
5 – Autour de la bouche
6 – Rides du menton
7 – Affaissement des joues
8 – Rides du cou

SE TRAITER GRÂCE AU *REIKI* !

L'art d'imposer les mains est pratiqué depuis que l'homme existe. C'est un instinct naturel que de poser nos mains sur quelqu'un qui a été blessé ou qui ne se sent pas bien. Les mères en sont un bon exemple, quand un enfant s'est fait mal, elles posent souvent leurs mains sur l'endroit qui a été blessé. Le toucher humain apporte les soins qui guérissent. Si cette pratique vous tente, il est préférable d'être initié par un maître *reiki*. En attendant, quelques gestes simples vous permettront de vous familiariser avec cette pratique, de vous tonifier, voire de vous soulager de légers maux.

Une séance par jour permet de renforcer votre système immunitaire et de vous sentir en harmonie avec vous-même et les autres. En 10 minutes, vous pouvez vous administrer les soins les plus appropriés pour stimuler votre énergie vitale. La durée de chaque imposition des mains sur les différentes parties de votre corps varie de 1 à 3 minutes environ. C'est à faire sans effort, sans concentration et sans jugement !

Je vous propose un autotraitement recommandé par Eleanor McKenzie, maître de *reiki*, à faire en continu, pour un traitement complet, ou partiellement selon le temps dont vous disposez, selon votre besoin du moment ou votre ressenti.

◗ Recommandations

– À pratiquer chaque matin du week-end, de préférence avant le petit déjeuner, ou le soir avant de vous coucher.

– Lavez-vous les mains avant et juste après une séance.

– Enlevez vos bijoux, tels que bagues, bracelets et montre qui peuvent constituer une entrave aux flux d'énergie.

– Ne pratiquez pas après avoir consommé de l'alcool, car cela peut produire des effets secondaires indésirables.

– Portez des vêtements qui ne sentent ni l'odeur de cigarette ni la cuisine.

◗ Position de départ

Assise ou allongée dans un endroit paisible, silencieux, chaud.

1re imposition

Posez vos mains sur le visage, les paumes couvrant vos yeux et la partie supérieure des joues, le pouce et les autres doigts se touchant. Les bouts des doigts doivent à peine dépasser la naissance du cuir chevelu. Maintenez cette position environ 3 minutes. Ce geste détend et favorise la concentration.

2ᵉ imposition

Arrondissez la paume des mains sur vos oreilles en prenant soin de bien rapprocher les doigts. Ce mouvement soulage les maux d'oreille. Si vous avez des problèmes dentaires, posez les mains sur la mâchoire.

3ᵉ imposition

Utilisez de préférence la position allongée. Arrondissez les mains et posez-les derrière la tête. Les pouces se rejoignent au milieu du crâne, la partie inférieure des paumes reposant juste en dessous de l'os à la base du crâne. Cette position soigne la zone du crâne.

4ᵉ imposition

Posez vos mains sur votre cou en suivant son arrondi, les doigts passant sous l'oreille et le bout des doigts se rejoignant à l'arrière. Cette position traite la région de la gorge.

5ᵉ et 6ᵉ impositions

– Posez vos mains au-dessus du plexus solaire, avec les paumes de préférence orientées vers le bas et le bout des doigts se rejoignant au centre.

– Puis descendez les mains en les maintenant dans la même position, de manière à ce que le majeur de chaque main se retrouve juste au-dessus du nombril. Stimulez cet endroit.

Ces deux positions soignent la région de l'estomac et du foie. Elles peuvent être pratiquées seules en cas de problèmes d'estomac ou pour aider à la détoxication du foie et de la rate.

7ᵉ imposition

Posez la partie charnue des paumes sur vos hanches en pointant les doigts vers le bas et vers le milieu, de sorte que les bouts des doigts se rejoignent. Vous pouvez soit rapprocher les pouces des autres doigts, soit les écarter de manière à former un cœur.

Cette position traite la région pelvienne et les organes sexuels. Elle est recommandée aux femmes qui attendent leurs règles, car elle atténue les douleurs et les spasmes.

8ᵉ imposition

Posez une main au-dessus du deuxième chakra, situé entre 2,5 et 7,5 cm sous le nombril et l'autre sur le quatrième chakra, se trouvant au milieu de la poitrine, près du cœur, dans la région du sternum. Cette position permet l'équilibrage des énergies.

9ᵉ imposition

Placez vos mains de chaque côté de votre dos en pointant vos doigts vers la colonne vertébrale. Pour couvrir les surrénales (partie se trouvant au-dessus des reins), placez la partie extérieure des paumes de manière à recouvrir légèrement de la cage thoracique et vos mains trouveront naturellement la bonne position. Cette position traite la zone des reins et des surrénales. Elle peut être pratiquée seule pour retrouver de l'énergie en cas de fatigue.

10ᵉ imposition

Croisez vos bras et mettez vos mains derrière vos épaules en allongeant vos doigts vers la colonne vertébrale. Cette position traite une des régions phares du stress. Vous pouvez l'utiliser de façon isolée, pour faire une pause ou soulager vos épaules contractées.

S'adonner à ses passe-temps favoris

Se tourner les pouces 10 minutes

Conditionnées depuis notre enfance à faire vite, bien et toujours plus, nous finissons par culpabiliser au moindre temps mort. Et pourtant, ce temps-là, c'est un moment vital pour décompresser. Réintégrons ce temps vide pour un meilleur équilibre et surtout pour laisser à la rêverie l'espace nécessaire pour éclore. Ne rien faire, les pouces au repos complet !

Voyager sans bouger

Se plonger dans un atlas, lire un article sur une destination de rêve ou des recettes exotiques, feuilleter des catalogues...

Jardiner et déposer ses soucis dans un trou

Gratter la terre, bêcher, planter, couper les herbes folles, cueillir les fruits mûrs... nous enchante. Nous le savons, le jardinage nous fait du bien et nous procure un immense plaisir. Moment rêvé pour renouer avec la nature et oublier tous nos soucis. S'ils résistent, nous pouvons en profiter pour les enfouir sous la terre. On creuse un petit trou, on dépose les tracas au fond de ce trou en les identifiant clairement et on les recouvre. En les mettant ainsi hors de notre vue, nous ressentons un soulagement immédiat.

Des petits pas de danse...

Pas besoin d'être une pro pour esquisser quelques pas de danse dans son salon ou sa salle de bains. Choisissez une musique entraînante et bougez comme bon vous semble sans jugement ni exagération. Laissez éclore votre expression naturelle, écoutez ce que votre corps vous dicte. La danse permet d'évacuer le stress tout en faisant le plein d'énergie. C'est gai et tonique. Allez-y, essayez !

Faire une chose que l'on aime et que l'on remet toujours à plus tard

Cette fois, c'est décidé, je décore ma salle de bains, je rempote le géranium avant qu'il ne soit trop tard, j'accroche un tableau dans l'entrée, je cire les portes Louis XIV de mon armoire, je redonne de l'éclat à une jarre ancienne, j'illustre l'album photos que j'ai réalisé l'année dernière, j'assemble en pêle-mêle tous nos billets d'opéra et de théâtre conservés depuis un an, je feuillette l'album photos de mes dernières vacances... On éprouve une vive satisfaction à passer à l'acte, en même temps qu'un réel plaisir à le faire. Vous ne manquerez assurément pas d'idées en la matière. Tordez le cou aux « je vais » et faites-le !

Un environnement plus beau, plus soigné !

Regarder autour de soi, chez soi, et rendre son habitat plus beau, plus soigné

Notre lieu de vie est comme une deuxième peau, il nous renseigne sur notre état intérieur et nous fournit le travail pratique de réharmonisation intérieur/extérieur. Nous parlons d'intérieur quand nous évoquons notre habitat. Et si nous sommes conscients qu'il est un reflet de nous-même, nous pourrons nous métamorphoser à travers les changements que nous lui apportons. Par exemple ranger sa cave ou ses placards, désencombrer un garage, refaire une pièce à son goût, amener la lumière dans un coin sombre, soigner les plantes et les arbres, réparer les objets cassés et jeter ce qui n'est pas réparable... Chassez de votre vue tout ce qui symbolise le fouillis, l'échec, les problèmes ou le travail non terminé.

Pour une bonne circulation de l'énergie

S'ouvrir au monde, c'est, par exemple, débloquer son entrée, en déplaçant un meuble encombrant ou une bibliothèque dans une autre pièce, dégager les murs en supprimant quelques tableaux ou bibelots, ouvrir les volets, éliminer le désordre. Quand les objets s'accumulent, l'énergie stagne. Agrémentez votre espace de vie en choisissant une nouvelle couleur pour votre nappe dominicale, un joli bouquet de fleurs, un nouveau meuble. De même, pour apaiser l'esprit, utilisez lampes et bougies plutôt que plafonniers et halogènes... Et faites le ménage en vous rappelant que ce n'est pas une corvée mais une façon formidable d'embellir votre cadre de vie et de garder la forme !

Mettre à jour son courrier

Une fois par semaine, s'atteler à cette tâche *a priori* rébarbative apporte un grand soulagement. Car les factures, courriers et dossiers administratifs non traités, et auxquels on doit fatalement faire face, encombrent inutilement notre esprit et freinent notre énergie. Quelques minutes de mise à jour pendant le week-end vous éviteront de vains tourments.

Alléger placards et tiroirs

Des tiroirs bondés, des armoires pleines à craquer, cela amène à prendre mille précautions pour les ouvrir et les fermer. Et surtout cela bloque notre énergie. Faites le tri de ce que vous voulez garder pour laisser surgir un nouvel événement. Plus qu'un grand ménage de printemps, c'est une hygiène de vie que vous aurez plaisir à répéter de temps en temps. Car c'est un plaisir de se débarrasser de choses matérielles. Plutôt que de vous dire «vais-je me servir un jour de cet objet ?», la tentation étant alors de répondre «peut-être», demandez-vous plutôt : «quel effet me fait cet objet ?»

Avant même de connaître le feng shui, j'avais pour habitude de donner ou de vendre un vêtement ou un objet de la maison lorsque j'en achetais un autre pour que cela circule ! Mouvement de la vie qui s'exprime dans les choses et qui nous entraîne à son tour... J'aime les étagères libres, les tiroirs aérés, l'espace, et déteste le bric-à-brac. Mes lectures m'ont ensuite appris que ce principe était une pratique courante du feng shui.

Pensons à vider notre sac !

De temps en temps, versez le contenu de votre sac à main sur une table et débarrassez-le de toutes les choses inutiles, mouchoirs, papiers, stylos en triple exemplaire. Vous marcherez ainsi avec un sac plus léger et vous retrouverez plus facilement ce que vous cherchez. Tout comme à la maison, quand le désordre s'accumule, l'énergie stagne.

Réparer les objets cassés et jeter ceux qui ne sont pas réparables

Les objets cassés, déréglés ou mal entretenus font baisser votre énergie chaque fois que vous les voyez ou que vous vous en servez. Un manque de soin et de respect envers son environnement est souvent le reflet exact de l'attitude que l'on a à l'égard de soi-même. Réparer un appareil endommagé, entretenir son lave-vaisselle ou jeter un objet totalement irréparable, cela prend quelques minutes seulement et cela soulage. C'est une façon de prendre soin de soi et de gagner du temps.

En vacances

Opter pour l'inédit

Tricoter, broder, coudre

Vous mettre au tricot vous semble trop compliqué ? Pas de panique ! Les cours et les livres, voire les salons fleurissent pour vous y préparer. C'est pour cela que tout le monde s'y met. Même les actrices et mannequins. Comme toutes les activités manuelles, le tricot, la couture ou la broderie mobilisent totalement l'attention et permettent donc de ne plus penser pendant un moment à ses soucis. Et quelle joie de montrer son ouvrage une fois terminé !

Vive la nature, plonger dans la mer

Surtout si vous en êtes privée. Plaisir intense de se promener en forêt, sur le sommet d'une montagne, sur une plage au sable fin… Et pourquoi ne pas plonger dans la mer pour profiter de ses effets bénéfiques ? Le pouvoir guérisseur de la mer remonte à Platon. Grâce à une cure d'eau de mer qui lui avait été conseillée par des prêtres égyptiens, il guérit. Hippocrate conseillait de chauffer de l'eau de mer et de s'y plonger. Je revis lorsque je me baigne dans l'océan. Il est pour moi synonyme de bien-être, de plaisir et d'énergie.

Développer nos sensations avec de nouveaux éléments

Par exemple, voir avec sa peau, goûter avec ses yeux, entendre avec son nez, sentir avec ses oreilles… et, plus traditionnellement, marcher pieds nus sur le sable, sentir l'air qui entre et sort de ses narines…

Merveilleuse carte du trésor

Sachons mettre en scène nos rêves et nos projets pour les activer. Pour celles qui manient le crayon ou le pinceau avec dextérité, sur une feuille de dessin, représentez pour chaque domaine votre idéal : ce que vous aimeriez vivre sur le plan sentimental, familial, professionnel, vos valeurs, vos hobbies, vos désirs d'enfant... Et pour les autres, un collage fera l'affaire. Découpez dans des magazines les images qui symbolisent le mieux vos rêves et collez-les sur une feuille de papier. Choisissez attentivement les images, les photos, les couleurs, de façon à ce qu'elles correspondent précisément à votre rêve. Vous pouvez ajouter des mots, quelques phrases importantes pour vous, et terminer votre œuvre personnelle par une étoile.

- Cette carte du trésor n'est pas figée. Vous pouvez, en effet, l'enrichir ou la modifier au fil du temps. Vous imprégner régulièrement de cette carte du trésor est un élément de stimulation et de ressourcement incroyable. Force pour moi a été de constater que l'un des projets exprimés sur une carte – réalisée il y a plus de deux ans – a bien pris corps et que ce rêve d'écrire, qui me semblait inaccessible, est devenu réalité.
- La carte du trésor est une façon imagée de faire le point sur sa vie, de matérialiser ses rêves ou son idéal : ses valeurs les plus élevées, l'axe de son existence, ce que l'on veut vivre avant de mourir.

La poésie avant tout

> *« J'étais insoucieux de tous les équipages,*
> *Porteur de blés flamands ou de coton anglais.*
> *Quand avec mes haleurs ont fini ces tapages,*
> *Les Fleuves m'ont laissé descendre où je voulais. »*
> Rimbaud, extrait du *Bateau ivre*

Paul Verlaine, Baudelaire, Victor Hugo, Alfred de Musset, Lamartine... Nous n'avons que l'embarras du choix pour nous laisser bercer par leurs vers, au gré de nos envies, de nos humeurs et de nos goûts. La lecture d'un poème de Rimbaud – qui a écrit tout son œuvre avant l'âge de 20 ans – suffit au bonheur d'une de mes journées. Son génie, son éclatante jeunesse, son écriture fulgurante, son insolence, son originalité me stimulent et font chavirer mon cœur! Il fut un temps d'ailleurs où, chaque jour, j'apprenais quelques vers d'un poème, car je voulais mieux connaître la poésie et me réciter au moment choisi un poème « de circonstance ». C'est ainsi que j'ai appris bon nombre de poèmes de Victor Hugo, Rilke, Baudelaire, Rimbaud, Verlaine, Alfred de Vigny, Leconte de Lisle et bien d'autres encore...

Décaler ses horaires

Les horaires conditionnent trois quarts de notre vie. Il est en effet difficile d'échapper à nos rendez-vous, à notre planning, à nos obligations diverses et variées. D'ailleurs, vivre dans l'anarchie transformerait notre vie en cauchemar!

Les vacances, c'est utile pour se reposer mais surtout pour déconnecter son mental. Vous pouvez larguer les amarres sans forcément franchir des milliers de kilomètres.

Un petit changement suffit parfois : décaler ses horaires et ainsi prendre le temps de vivre à son rythme, de lire quand il nous plaît, de traîner, de dîner à 23 heures et de se lever à midi si cela nous chante. Cela nous entraîne vers de nouveaux plaisirs, un parfum insolite, des impressions toutes neuves qui nous font découvrir la magie d'une nuit prolongée jusqu'au petit matin...

Prendre sa plume

Écrire un mot affectueux

À vos proches, à un ami, à un parent éloigné ou votre admiration à un écrivain, un musicien, un peintre.

Écrire, c'est amusant

Mais cela demande de la persévérance et de la patience, ainsi qu'un petit zeste d'audace. Commencez, par exemple, par prendre une feuille blanche sur laquelle vous allez inscrire un mot. En spontané, jetez çà et là tous les mots qui vous viennent, que vous allez associer à celui-ci. Quand vous en aurez une dizaine, tentez alors de les rassembler en une petite histoire jusqu'à ce que vous les ayez tous utilisés. Vous verrez, le résultat est souvent étonnant par la créativité dont vous avez fait preuve en si peu de temps et tellement mieux que vous ne l'imaginiez.

Sur le chemin de l'imaginaire

On part d'un événement de la vie quotidienne et on s'aperçoit que l'on peut rêver. Choisissez par exemple un événement familial, un anniversaire, un mariage, une bénédiction... – non pas pour le décrire –, mais plutôt vous remémorer ce que vous faisiez ce jour-là. À quoi avez-vous pensé ? Qu'avez-vous ressenti ? À la recherche de vos sensations, vous allez peu à peu explorer votre monde intérieur et réveiller votre imagination. Vous serez surprise de retrouver des émotions que vous aviez peut-être oubliées et de laisser courir votre plume avec plus d'aisance que vous ne le pensiez. N'hésitez plus, lancez-vous!

C'est en écrivant qu'on apprend à écrire

N'attendez pas l'inspiration, elle n'est pas toujours au rendez-vous. Lorsque j'ai commencé ce livre, écrire autant de pages sur ce sujet me semblait inatteignable. Après cette première phase de découragement, je me suis astreinte à écrire tous les jours plusieurs heures. Ce travail régulier, dont la production ne me satisfaisait pas toujours, alertait cependant tous mes sens. J'étais grâce à cela plus réceptive aux conversations, aux lectures, aux rencontres, aux émissions de radio, plus attentive à mes expériences quotidiennes liées à cet ouvrage. Je n'avançais plus toute seule!

10 minutes d'écriture, le plus souvent possible, dégourdiront votre plume, plus agile et bousculée par des pensées pressantes. Tenir un journal, écrire des nouvelles, écrire ce qui vous vient sans aucun fil conducteur, écrire un poème, écrire une carte postale... mais avant tout écrire, débrider les mots et réveiller votre imagination.

En voyage pour un long parcours

Dans l'avion et dans le train

Quelques précautions à prendre pour mieux voyager

– Remplacez vos collants ou chaussettes habituelles par des collants ou des chaussettes de contention. Cela vous évitera d'avoir les jambes gonflées.

– Pensez à prendre un bandeau pour les yeux si vous voyagez de nuit. Optez pour un bandeau en coton qui vous évitera de transpirer.

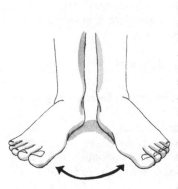

Détendre ses pieds

Pour éviter les crampes ou cette sensation de fatigue ressentie le lendemain d'un long voyage, effectuez l'exercice suivant.

┈┈> **Position de départ :** assise, le dossier relevé afin que votre colonne vertébrale soit la plus droite possible.

┈┈> **Mouvement 1 :** le talon droit en appui sur le sol, ramenez votre pointe de pied 10 fois vers l'intérieur.

┈┈> **Mouvement 2 :** faites la même chose avec le pied gauche.

┈┈> **Mouvement 3 :** les deux talons posés au sol, ramenez vos pointes de pied à l'intérieur 10 fois, et étirez-les à l'extérieur 10 fois également.

Garder ses chaussures

Sur un long parcours, les pieds gonflent. Il est donc préférable de ne pas quitter ses chaussures et de choisir une paire confortable que l'on peut délacer par exemple pendant le parcours.

Boire beaucoup d'eau minérale plate

Afin de ne pas vous déshydrater...

Marcher de temps en temps

Pour décontracter ses jambes.

**Une respiration abdominale-contraction-détente
pour vous endormir plus facilement**

Abaissez légèrement votre siège, fermez les yeux et faites deux respirations abdominales profondes, puis, à la fin de la troisième inspiration, contractez tous vos membres et expirez tranquillement en les relâchant. Sentez bien le rythme de votre respiration ponctué par le va-et-vient de votre nombril qui monte et qui descend.

En voiture

À chaque arrêt, un yoga des yeux

Conduire demande une très grande attention : votre cerveau et vos yeux sont constamment mobilisés. Profitez de chaque arrêt pour faire un yoga des yeux dont vous trouverez le descriptif dans le chapitre 2, p. 70. Cela détend les muscles et repose la vue.

Massez votre cuir chevelu pour vous détendre
lors d'un long trajet

Ce massage est excellent pour décontracter la tête et chasser les tensions dues à la conduite.

Commencez par vous frotter les mains jusqu'à ressentir un peu de chaleur. Puis posez les doigts sur votre crâne. Avec le bout des doigts, avancez délicatement par petites saccades et appuyez légèrement sur le cuir chevelu d'avant en arrière, comme pour le décoller, une quinzaine de fois environ.

Ruses pour un rendez-vous amoureux

Se relaxer, cela peut aider

Si l'on s'inquiète d'un rendez-vous prévu avec l'homme de sa vie ou supposé tel, la relaxation reste un remède efficace pour dompter une appréhension qui pourrait tout gâcher. Trop d'excitation amoureuse peut également provoquer du stress, des troubles digestifs, voire de l'insomnie. Le meilleur plan, c'est de se présenter à ce rendez-vous sereine, resplendissante, l'œil pétillant et les traits parfaitement détendus.

Un bain, 3 respirations abdominales, un exercice contraction-détente peuvent ainsi vous aider à vous détendre. Une heure avant votre rendez-vous, allongez-vous, les yeux fermés, et pratiquez une respiration abdominale. À la fin de l'expir, contractez tout votre corps, y compris les muscles de votre visage et relâchez-vous en vous concentrant sur cette sensation.

C'est en se contractant qu'on apprend à se décontracter!

Revenir à ici et maintenant

Dès le réveil, vous vous sentez assaillie de questions et de doutes. «Va-t-il annuler notre rendez-vous? Que va-t-il penser de moi? Je me sens moche aujourd'hui, c'est bien ma veine!» Ou au contraire vous ressentez une joie si forte qu'elle vous envahit totalement. Pour calmer vos tourments et vos émotions, essayez de vous concentrer sur ce que vous faites. Lire votre journal, mettre le couvert du petit déjeuner, faire un courrier, ranger la cuisine vous permettront de lâcher ce futur hasardeux et de revenir au moment présent, le seul vraiment certain.

Belle, mais naturelle

Forcer le trait de votre eye-liner ou la couleur de votre fard à joue, oser la tenue glamour que vous n'avez jamais portée, cela comporte un risque… Celui d'être finalement plus occupée à gérer ce malaise qu'à être véritablement présente à ce rendez-vous. Être naturelle reste encore le meilleur moyen d'être au top de votre forme et de votre beauté. En paix avec votre image, vous pouvez alors pleinement profiter de l'instant vécu, à l'écoute de la situation et de ce que vous ressentez.

Se focaliser sur ses atouts

Si vous vous laissez gagner par les émotions, vous risquez de perdre confiance en vous et de vous inquiéter du pire au sujet de ce rendez-vous. Un bon moyen de se remettre en selle consiste à demander à une amie ou à un proche de vous citer deux ou trois de vos qualités. Vous verrez, l'effet de ces compliments sincères est radical. Vous en serez si ragaillardie que vous partirez à ce rendez-vous le cœur léger.

Avant de sortir

Défroisser ses traits

Faire des grimaces

Pour décrisper notre visage et détendre nos traits. Dans votre salle de bains, avant de vous maquiller ou tout simplement sous la douche, grimacez à souhait et n'hésitez pas à tordre votre bouche, hausser et froncer les sourcils, fermer les yeux, faire bouger vos muscles dans tous les sens, sans oublier de tirer la langue...

Douche écossaise sur le visage

Pour tonifier le visage, aspergez-le d'eau tiède puis d'eau froide en faisant tourner le jet dans le sens des aiguilles d'une montre, pendant 1 à 2 minutes.

Compresse à l'eau de rose

L'utilisation de l'eau de rose remonte à l'Antiquité. Elle est connue pour ses propriétés astringentes, anti-inflammatoires et adoucissantes. Avant de vous maquiller et pour détendre votre visage, allongez-vous quelques minutes et posez sur votre visage démaquillé des compresses d'eau de rose additionnée de 1 % d'alcool camphré.

Un glaçon pour décongestionner

Tamponnez votre peau avec un glaçon en plastique ou un vrai glaçon que vous aurez enrobé d'un mouchoir en papier, afin d'éviter d'éventuelles petites brûlures sur la peau.
Ou encore passez-vous délicatement sur la peau un coton humecté d'eau froide que vous aurez laissé quelques minutes au congélateur.

Lissez votre visage

En effectuant des petits pincements verticaux très doux sur le front ou en remontant le long du sillon naso-génien, formé par les deux grandes rides encadrant la bouche en arc de cercle.

Pour être fraîche le lendemain

– Prenez de l'huile d'olive : avalez 2 cuillerées d'huile d'olive avant le dîner...

– Mangez du radis noir, du pissenlit, des artichauts pour drainer votre foie, les jours précédents.

Entrer en amitié avec soi-même, comme disent les Tibétains

> *« S'aimer soi-même, c'est le début d'une grande histoire d'amour qui va durer toute la vie. »*
> Oscar Wilde

Une histoire d'amour dans laquelle vous ne serez jamais aussi bien servie que par vous-même. Et où vous n'attendrez pas des autres ce que vous pouvez vous donner vous-même. En fait, il s'agit de s'aimer juste comme il faut, ni trop, ni pas assez, trouver le juste milieu, « dans une tendre indifférence », comme le décrit Albert Camus.

L'estime de soi, cela se cultive chaque jour. Commencez par des petites choses que vous transformerez petit à petit en habitudes positives.

Reconnaître ses qualités

Prenons quelques minutes pour réfléchir et dresser la liste de nos qualités, de nos défauts, de nos succès, des personnes qui nous aiment et des félicitations que l'on nous adresse...
Cet exercice produit des effets très bénéfiques. Les éléments positifs nous sautent aux yeux dans une proportion que nous n'imaginions même pas. Les points faibles, au lieu de rester dans leur catégorie « jugements catégoriques sur soi », deviennent – par la distance que crée l'écriture – de nouvelles pistes pour progresser.
Par ailleurs, sachez bien faire la différence entre faire une erreur et être nulle ! Il importe d'agir avec soi comme une mère avec son enfant. Reconnaître ses qualités et ses bonnes actions, savoir recevoir des compliments, s'« autoencourager »... Voilà une nouvelle façon de s'aimer.

Braver ses peurs

C'est notre vision du monde qui influence notre réalité. Comme le dit Épictète : « Ce ne sont pas les choses en elles-mêmes qui nous font peur, mais l'opinion que nous avons d'elles. »

Si vous vous forcez à affronter les situations qui vous paraissent difficiles, vous apprendrez à les surmonter. Un petit échec n'est pas si grave, saisissez-le comme l'opportunité d'apprendre à le dépasser. Nous le savons, nos échecs sont le ferment de notre évolution. Ils s'appuient sur nos faiblesses. L'erreur est humaine! Soyez donc compréhensive à l'égard de vos faux pas qui, loin de vous égarer, vous mettent le plus souvent sur la voie.

Se tromper sans rougir

Changer d'avis parce qu'on a réalisé ensuite qu'on s'était trompée, parce qu'on a évolué, parce que l'on voit les choses autrement quelques semaines plus tard... là est notre vraie liberté. Je me donne le droit de réfléchir, de revenir sur une opinion, d'hésiter, de remettre en question une décision, même si cela déstabilise mon entourage. Je veux être au cœur de ma vie et non pas spectatrice sous prétexte de suivre ma première position ou de ne pas renier une orientation choisie et que je délaisse car elle ne me convient plus.

Michèle Laroque, actrice, confie à ce sujet dans une interview au magazine *Esprit de femme* : «Aujourd'hui, je n'ai plus peur de me tromper ; j'adore me tromper. Je peux dire le contraire de ce que je disais il y a un mois, parce que j'ai compris, j'évolue, j'apprends. Je trouve cela sympathique et c'est la preuve que tout est encore possible.»

Apprécier ses succès

Parce que nous nous acceptons telle que nous sommes, nous reconnaissons les réussites qui nous ont portées jusqu'ici. Les reconnaître selon nos propres critères fait du bien. Je me dis très souvent avec bonheur que – même si tout n'est pas parfait – avoir établi avec mes enfants une relation profonde et sincère, c'est génial! De même, exercer un métier qui nous passionne, même si nous devons supporter de temps en temps un supérieur hiérarchique difficile, ça vaut la peine !

S'offrir des récompenses

Nous célébrons régulièrement les anniversaires, oubliant la plupart du temps d'honorer les événements marquants de notre existence auxquels nous avons fortement contribué. Sachez vous remercier d'avoir atteint un objectif, obtenu une gratification professionnelle, perdu des kilos superflus, arrêté de fumer, assisté vos enfants et contribué à la réussite de leurs examens… Car tous ces efforts couronnés de succès méritent une récompense, aussi symbolique soit-elle : un bijou fantaisie, une coupe de champagne, un cinéma, un livre… à vous de choisir ce qui vous fera plaisir à ce moment-là, l'important étant de marquer le coup !

Demander avec le risque d'essuyer un refus

Énoncer clairement nos demandes suppose de les formuler de telle sorte qu'elles laissent notre interlocuteur libre d'accepter ou de refuser. Ce double risque, recevoir un refus ou être satisfaite, donne de la fluidité à nos échanges. Lorsque les demandes ne laissent pas le choix de la réponse, elles exercent alors une pression sur l'autre et créent un climat de malaise.

Oser dire…

Osez exprimer vos émotions, vos sentiments, vos opinions, vos idées ! Cela vous aidera à vivre pleinement ce que vous êtes, sans retenue, sans complexe, avec toute la spontanéité nécessaire pour dire et vous sentir vraie.

… et savoir dire non

«Dire non, écrit Luce Janin-Devillars, psychanalyste, c'est être capable d'établir un distinguo entre ce que nous sommes, ce que nous croyons vraiment, les valeurs, les idéaux auxquels nous sommes profondément attachés et ce qui appartient au discours de la transmission familiale.» C'est s'affranchir des pensées et des comportements issus de notre histoire familiale. Apprendre à dire non aux autres, c'est apprendre à se dire oui, à être présent à soi et aux autres. Dès lors que nous apprenons à dire «non», nos «oui» ont plus de poids. Pleins, naturels et sans arrière-pensées, ils s'expriment alors en toute liberté.

Exprimez ses émotions

La nature nous a donné des émotions, ce n'est pas pour rien. Si on réfrène ses émotions, cela peut engendrer une dépression. Ainsi, la colère, c'est naturel. Mais la colère contenue engendre la rage, et on ne contrôle plus rien. L'envie, c'est naturel, c'est ce désir, par exemple, d'imiter quelqu'un que nous aimons ou que nous admirons. Si nous refoulons cette envie, elle va se transformer en jalousie.

Aussi, laissons jaillir nos émotions naturelles au fur et à mesure qu'elles apparaissent et surtout, acceptons-les, afin d'en profiter plutôt que d'en souffrir.

Ne les laissons pas filer!

Supposons que vous êtes occupée à une tâche importante et que vous apprenez un événement triste. Plusieurs possibilités s'offrent alors à vous. Vous pouvez reconnaître cette émotion et la vivre, même si cela nuit à votre activité en cours. La suspendre et y revenir ensuite. Ou bien ne pas en faire cas et remettre à plus tard ce qui vous dérange.

Cette troisième option crée le refoulement. L'émotion inhibée ira rejoindre le cortège des autres émotions collectées et enfouies dans votre besace secrète jusqu'à son débordement probable : une maladie, un changement radical, une fureur vindicative, etc., arrivant souvent de façon brutale ou tragique dans votre vie.

Le premier ou le deuxième choix dépendent des circonstances et de l'intensité de ce que vous ressentez. Si vous avez tendance à être introvertie, il peut être bon de laisser émerger cette émotion. Si au contraire, vous vous sentez submergée par une lame de fond à chaque contrariété, il est préférable alors de vous protéger en mettant un peu de distance entre ce que vous ressentez et le moment où vous l'exprimez.

Décodons-les

Être à l'écoute de nos émotions et de nos sentiments, cela demande de l'attention. Les reconnaître, c'est essayer de les comprendre. Il n'est pas toujours facile d'identifier ce que nous ressentons, car nous avons appris à censurer, à nier nos sentiments et nos émotions. «De plus, nos émotions se mélangent et s'entremêlent à plaisir pour dérouter nos perceptions», affirme Jacques Salomé, ce qui complexifie notre questionnement. «Que veut dire ma colère, par exemple?» Derrière cette sensation plaisante d'avoir pu dire les choses avec véhémence et de m'être affirmée se cache peut-être une déception, une frustration, un sentiment d'abandon. C'est en travaillant sur cette relation avec soi-même que ces interrogations produiront leurs fruits. Cela ne se fait pas tout seul, mais cela en vaut la peine. Car ce lent travail d'introspection nous permet au fil des jours d'établir des relations saines avec les autres.

Accueillir son âme d'enfant

> *«Mieux* est de ris* *que de larmes écrire*
> *Pour ce que rire est le propre de l'homme.»*
> Rabelais, *Gargantua*
>
> *Mieux vaut rire...

Le rire, force de vie

On ne rit plus assez! Et pourtant le rire joue un rôle fondamental. On se sent bien, détendue! Il permet de libérer le stress, il met l'intellect au mieux de sa forme...

Le rire a bien d'autres effets bénéfiques :
– il donne de l'éclat à notre peau ;
– il stimule la circulation sanguine ;
– il oxygène notre corps ;
– il masse nos organes internes ;
– il est communicatif... et on le partage!

Dans une séquence de *L'Ayurvéda,* dernier film de Pan Nalin, un groupe d'une trentaine de personnes pratiquant le yoga s'entraîne à rire. Elles lèvent un bras puis l'autre, en accompagnant ce geste d'un rire provoqué, devenant peu à peu communicatif et naturel.

Si je n'avais pas assisté aux prémices de cette séance, j'aurais pu croire à une fête entre amis, heureux de se retrouver! Rire en groupe n'est pas toujours possible. Sachez néanmoins provoquer les occasions de rire ou de sourire en lisant une BD, en jouant avec vos enfants, votre chien, votre chat, en écoutant une blague à la radio, en appelant un ou une amie doté(e) d'humour...

Exprimez ses désirs sans peur d'être jugée

«Attention à ceci... à cela... il faut que tu apprennes ta leçon, n'oublie pas de ranger tes affaires, etc.» Toutes ces phrases chargées de contrainte ont jalonné notre vie d'enfant. Petit à petit, ce langage imprégné de négations et d'obligations crée en nous une certaine pression et nous conduit à faire les choses par nécessité et sans plaisir. Nous courons après des objectifs avec des «Je dois, il faut que…». Alors que nous pouvons transformer en positif ces directives qui deviendront «j'ai envie de…, j'aimerais…» et nous offriront ainsi de nouvelles perspectives. L'expression de nos désirs sans craindre de déplaire ou d'être incomprise est vitale pour notre équilibre.

S'étonner, s'émerveiller

S'abstenir de voir les choses par habitude et s'étonner de tout ce qui peut prendre le déguisement de l'évidence. S'émerveiller d'une question de son petit dernier «C'est qui, pour toi, le roi des animaux?», d'une fleur violette dans la pelouse, d'un nuage rose se détachant sur un ruban bleu, d'un parfum d'iris… Regarder le ciel à travers la fenêtre comme si nous le voyions pour la première fois, se demander pourquoi ce nuage à la forme grimaçante n'avance pas aussi vite que les autres, s'envoler avec les hirondelles que nous apercevons au loin ou réchauffer notre visage avec les premiers rayons du soleil… Des merveilles qui distillent tout au long de notre journée des pages de poésie.

S'amuser

Le jeu n'est pas seulement réservé aux enfants. Garder une activité ludique permet à la fois l'échange, l'écoute, le recentrage et la réorganisation intérieure. Pendant la pause du déjeuner ou le soir à la maison, ressortez votre jeu de cartes et amusez-vous à faire une réussite, entraînez-vous à un tour de magie. Remplir une grille de mots croisés, jouer au mikado ou à un jeu de construction avec ses enfants, cela met du piment dans sa journée et la détente est assurée!

Apprendre ce qui nous plaît!

Être apprenti dans un domaine préserve notre part d'enfant apprenant dans une vie d'adulte souvent trop sérieuse. Continuer à apprendre tout au long de sa vie, quel que soit le sujet choisi, nous apporte de l'oxygène, de nouvelles connaissances, de nouveaux centres d'intérêt, propices à développer notre curiosité et notre ouverture au monde. Vous avez appris à jouer du piano, et vous rêviez de jouer du hautbois. Lancez-vous! Il n'y a pas d'âge pour apprendre, la passion sert de moteur à toute activité. Apprendre l'anglais ou le chinois, prendre des cours de cuisine, de yoga… ou de calligraphie chinoise, cela dope les neurones et procure de l'excitation. Cette nouvelle posture d'apprenante vous éloigne momentanément de vos responsabilités et vous donne la bonne distance qui permet parfois d'en rire ! Apprendre, c'est aussi rassembler toutes les forces de son âme dans la perspective d'un nouvel élan.

Rêves d'enfant

Sous prétexte d'être adultes, nous mettons de côté nos aspirations d'enfant. Or ils sont les vecteurs de nos valeurs essentielles, de nos désirs profonds, de ce que nous sommes. Réaliser l'un d'eux donne de la cohérence à notre vie. Ne les rejetez plus, laissez-les émerger, même s'ils vous semblent enfantins... Sans jugement, donnez-vous la permission d'écouter et de réaliser le ou les rêves qui vous taraudent le plus. Vous rêviez d'être une artiste. S'inscrire dans une classe de dessin, reprendre l'instrument de musique que vous avez délaissé à l'adolescence, danser le flamenco, chanter... C'est réalisable. Découvrir l'Australie, écrire, passer trois mois au bord de l'océan, quitter son appartement étriqué pour une maison à la campagne ou encore acquérir un cheval... C'est possible ! Réaliser ne serait-ce que l'un de ces idéaux apporte de la joie et de l'apaisement.

Écouter de la musique est un acte de plaisir

Porte ouverte sur l'imaginaire, la musique est très souvent source d'émotions. Qui n'a jamais eu la chair de poule en entendant un beau morceau ou un air d'opéra ? La musique nous stimule si nous l'associons à une activité sportive ou à la danse. Le rythme musical accélère la libération d'endorphines, analgésiques naturels du corps. Lorsque je fais du stepper ou que je saute à la corde, je choisis les chansons d'Aretha Franklin : elles me stimulent et j'en oublie de compter les minutes ! Une mélodie douce nous apaise et nous plonge dans un monde de rêveries. En influençant certaines de nos émotions, la musique a même la capacité de calmer ou d'activer le rythme respiratoire, les tensions, la sécrétion de certaines hormones... Alors, sachez recourir à la musique pour un oui ou pour un non.

Chanter, siffler

Que faites-vous quand vous vous sentez plutôt bien dans votre vie ? Vous chantonnez ou vous sifflez ! Cela vous vient spontanément et vous détend. Car, tout comme le sport, le chant est une véritable activité physique. Il ne s'agit pas d'être une diva ou de chanter juste pour ressentir un véritable bien-être. Pour chanter, il faut maîtriser son souffle et contracter ses muscles abdominaux. Cette respiration libère des tensions et déclenche une vague de plaisir. Chantez sous la douche, dans votre bain, au volant de votre voiture, dans la rue... chaque fois que vous y pensez pour vous entraîner au bonheur.

Suivre son cœur !

Sans vous demander constamment si c'est raisonnable d'agir ainsi, si cela va plaire à votre entourage... Écoutez votre cœur et laissez-vous guider par ses chuchotements, aussi fluets soient-ils ! Ils vous parlent de vous, de vos désirs, de vos sentiments.

Libérer le poète qui est en soi

Peindre, dessiner

L'expression artistique permet d'exprimer ses émotions au travers d'une forme visuelle ou plastique, mais aussi ce qu'il y a de beau, de bon et de vrai en soi. Et, de surcroît, cela détend : on s'échappe du quotidien, on laisse libre cours à son imagination. Pendant qu'on s'applique à créer, on ne pense plus à ses problèmes.

Écrire de la « main gauche »

Écrire avec sa main non dominante permet de retrouver certaines émotions refoulées. Cet exercice détend parce qu'il nous oblige tout d'abord à être patiente. Il nous ramène aux premiers pas de notre écriture, à la fragilité de notre enfance et nous surprend par l'émergence de certaines émotions très lointaines. Amusez-vous également à écrire à l'envers votre prénom, votre nom et racontez une histoire autour de ce nouveau personnage. Que fait ce personnage, quels sont ses rêves ? Cet exercice apparemment absurde a pour but de rompre avec la mécanique ordinaire de notre pensée.

Une histoire inventée

Cherchez le contenu d'une lettre fermée ou d'une boîte ou imaginez la vie d'un(e) inconnu(e) que vous croisez sur la plage, dans un bar, dans l'allée d'un supermarché. Élaborez une histoire en laissant libre cours à votre imagination, sans émettre la moindre critique sur ce que vous faites. Vous serez surprise de trouver en vous de tels trésors de créativité !

Et si vous composiez une chanson ?

Au hasard d'une lecture ou d'un dictionnaire, choisissez un mot que vous ne connaissez pas. Détendez-vous et laissez venir ce qui vient en fermant les yeux. Retenez bien les images que vous suggère ce mot. Puis, en ouvrant les yeux, décrivez ce que vous avez imaginé avec la plus grande précision. Fermez à nouveau les yeux et créez une musique qui corresponde à l'image que vous vous êtes représentée. Et pour parfaire le tout, écrivez le titre de la chanson !

Émoustillez ses cinq sens

Cet exercice ne prend pas plus de 3 à 4 minutes et vous aidera à éliminer les pensées négatives, à vous libérer de vos tensions. Le fait de retrouver toutes sortes de sensations physiques vous ouvre à des souvenirs, des émotions ou des idées nouvelles que vous aurez envie d'explorer.

1. En respirant tranquillement les yeux fermés, écoutez les bruits environnants autour de vous, le rire des enfants dans la rue, les voitures, le vent dans les branches…

2. Ouvrez les yeux sur votre environnement puis regardez le ciel. Quand l'espace est ouvert, les yeux n'ont plus d'effort à faire pour régler la vision sur différents objets. Il en résulte une grande détente.

3. Recherchez des odeurs, des sensations : froid, chaud, l'air frais sur votre visage, l'eau sur vos jambes, le sable mouillé, le tissu de votre canapé, le goût d'une pomme dans votre bouche, l'odeur de la tarte aux oignons au sortir du four, etc.

Une seule chose à la fois

« On peut très bien faire une chose sans y être.
On peut même passer le plus clair de sa vie,
parler, travailler, aimer sans y être jamais. »
Christian Bobin, *Le Très-Bas*

« Mes invités arrivent dans une heure et le dîner n'est pas prêt. Il me reste à préparer le plat principal, le dessert, à mettre le couvert, à ranger le hall d'entrée, me faire un maquillage express et changer de tenue. Tout cela en moins d'une heure : une course contre la montre pour un résultat catastrophique ! J'oublie l'entremets sur la cuisinière et il brûle. Je répare les dégâts de ce dernier et la tourte cuit trop vite… Je m'essouffle à ranger les objets qui traînent dans le hall d'entrée, en même temps que je dresse le couvert, puis me change à toute allure. Quand le téléphone sonne, mon amie m'annonce qu'ils auront une heure de retard! Je m'effondre!…» Nous sommes hélas nombreuses à vouloir tout réussir dans un temps record!

Se consacrer à plusieurs choses en même temps mène tout droit à la dispersion. Difficile en effet de réserver aux tâches simultanées l'attention nécessaire et de profiter du plaisir que nous trouverions à être totalement présente à ce que nous faisons. Réservez-vous des plages dans la journée – ne serait-ce que quelques minutes – pendant lesquelles vous vous efforcerez de faire une seule chose en vous y consacrant pleinement : lire, téléphoner, cuisiner, jouer avec vos enfants, écouter la radio… Rien de tel pour vous convaincre que vous y gagnez sur deux plans : vous prendrez plus de plaisir à faire quelque chose et vous serez plus efficace – moins de ratage, plus de rapidité… Cette attention à 100 % à ce que vous faites donne de la consistance au moment que vous vivez.

La relation avec les autres au cœur de sa vie

Améliorer nos relations avec les autres apparaît comme essentiel pour la majorité d'entre nous. En théorie, ce désir d'établir des relations saines et bienveillantes avec les personnes avec qui nous vivons, avec qui nous travaillons et que nous rencontrons au gré de notre vie semble aller de soi. Dans la réalité, c'est plus difficile. Attentive à soi, attentive à l'autre, point de départ d'une relation pleine et vivante.

Dire bonjour du fond du cœur

«Bonjour» est l'un des premiers mots que l'on apprend à un enfant. C'est ce qui le relie aux autres et notamment aux adultes. Au fil des années, il devient une marque de politesse bien plus qu'une attitude du cœur. Redonnez-lui le sens qu'il avait au Moyen Âge. Né de «bon» et de «jour», il signifiait alors «jour heureux». Il n'est pas toujours facile d'y penser! Mais chaque fois que vous le pourrez, essayez de remplacer «bonjour» par un mot ou une expression plus personnelle, comme «quel plaisir de vous rencontrer!», «agréable journée», et surtout de prononcer «bonjour» avec votre cœur, pleinement attentive à votre interlocuteur. Vous verrez, le mot prend alors la nuance de votre posture intérieure et il résonne différemment auprès de celui qui le reçoit.

Exprimer spontanément une chose agréable

Un compliment fait toujours du bien à celui qui le reçoit, surtout quand il est sincère. Cela met de bonne humeur et renforce sa confiance en soi. Lors de son séjour à New York, ma fille aînée fut surprise de recevoir autant de compliments spontanés dans la rue, dans une boutique ou au bureau, sur sa «jolie paire de boucles d'oreilles qui vont bien avec ses yeux», sur son «manteau original», son «sourire radieux»... Depuis, elle fait la même chose, prenant réellement du plaisir à le dire à son tour. Les occasions ne manquent pas dans la vie quotidienne d'exprimer des choses agréables : féliciter sa gardienne pour son efficacité, un voisin pour sa nouvelle voiture ou la postière pour son amabilité.

Du respect pour ceux que l'on croise

Dans les grandes villes, se déplacer sans bousculer personne, éviter les obstacles et les chiens en laisse, courir pour attraper l'autobus... relèvent parfois d'une habileté extrême. Car l'impatience et la précipitation règnent en maîtres absolus dans la rue, dans les transports en commun, dans les grands magasins, dans les embouteillages... Mais prenez garde, c'est contagieux! La sagesse nous invite plutôt à laisser passer plus pressé que soi, à ne pas jouer des épaules dans les bousculades ou à proposer notre place à une personne âgée, dans une file d'attente ou dans le métro. Son sourire et le sentiment de lui avoir fait plaisir suffiront à notre bonheur et déclencheront d'autres gestes de compassion. Ce souci de l'autre nous ramène également au respect de soi.

Un «je t'aime» au moins une fois par jour

Lorsque nous perdons un être cher, nous regrettons de ne pas lui avoir assez dit notre amour et notre affection. N'attendez pas les moments extrêmes pour exprimer vos sentiments à tous ceux que vous aimez, vos parents, vos grands-parents, vos frères et sœurs, vos enfants, votre compagnon, vos amis... et commencez dès maintenant. De vive voix ou au téléphone, par écrit sur un pense-bête, un mail, un SMS... cela ne prend que quelques secondes et cela produit des vagues de plaisir.

Donner gratuitement

Qu'est-ce qui se cache derrière un don ? Est-ce un cadeau pour soi, une façon de s'acquitter d'une dette, une demande déguisée ou une offre soumise à conditions ? Ce questionnement ne doit pas pour autant freiner notre élan de générosité. Quand on donne de l'amour, de la tendresse, de l'attention à autrui sans attendre d'être payée en retour, le sentiment chaleureux qui accompagne ce don est notre récompense. Se relier aux autres pour offrir de soi, de sa disponibilité, de ses compétences, de sa tendresse est vital pour chacun de nous. Le monde se transforme grâce au don, à la gratuité ; il s'épuise dans l'opportunisme et le marchandage.

Savoir recevoir

Recevoir des compliments, des reproches, des suggestions, de l'amour, des objets, un cadeau sans ressentiment n'est pas si facile. Nos réactions face à ce que nous recevons nous étonnent, rejetant parfois une marque d'intérêt, refusant certains élans, pensant ne pas mériter ce cadeau ou nous disant qu'il va falloir rendre pour être quitte ! Le cadeau mal reçu blesse le donneur, le renvoyant à ses frustrations et à sa solitude. Lorsque nos désirs se répondent, recevoir permet alors à la relation d'exister dans ce flux et ce reflux nécessaires au partage que créent le don et l'accueil de ce don. On s'ouvre à l'autre et on s'abandonne à sa gratitude dans un don de soi réciproque.

Dire merci

Un cadeau, un repas, une attention, un service rendu, un compliment méritent un remerciement. Remercier rapproche, adoucit, nous rend plus aimable. Dites-le ou écrivez-le sans attendre et sincèrement. Pour traduire notre plaisir ou notre reconnaissance, notre « merci » choisira parmi toutes les nuances de notre sensibilité, en fonction de l'objet et des circonstances. Ne forcez pas le trait, seules comptent la spontanéité et la délicatesse du mot.

S'occuper des autres rend heureux !

Servir les autres sans en attendre de bénéfices matériels, cela donne du sens à sa vie. Ce sentiment d'être utile et l'ancrage dans la communauté à laquelle nous appartenons nous lient au destin de notre univers et de l'humanité. Les petites causes valent autant que les grandes. Rendre de menus services à une personne âgée, faire du soutien scolaire auprès d'enfants en difficulté, travailler quelques heures dans une association pour la défense de l'environnement, prendre des nouvelles d'un voisin malade, nettoyer une plage, ramasser les papiers gras qui se trouvent sur notre chemin, porter les paquets d'une mamie trop chargée, aider un aveugle à traverser, sortir un animal de la SPA et lui donner une chance d'être heureux… sont les multiples façons de se sentir responsable du monde dans lequel nous vivons.

Prendre du plaisir à ce que l'on fait

Suivre les conseils de Rabelais

François Rabelais (1494-1553), fervent admirateur du mécanisme du corps humain et de l'Univers, d'une grande curiosité, était aussi un travailleur inlassable. Il prônait en son temps cette sagesse qui consiste à savoir mener une vie saine selon la nature. La vie physique, la nourriture, les activités naturelles étaient d'ailleurs très présentes dans son œuvre. Quant à l'éducation, il s'élevait contre les longues études entièrement livresques déconnectées de la vie et de la connaissance du monde. Son idéal de sagesse, incarné par son héros Pantagruel, consistait à «vivre en paix, joie, santé, faisant toujours grande chère» (II, 34). Pour lui, la ripaille permettait de mieux recevoir un enseignement. Toute son œuvre respire, d'ailleurs, l'amour de la vie sous toutes ses formes et particulièrement sous ses formes sensibles.

Quand on aime son labeur, on oublie qu'on travaille dur!

Il est vrai que nous accédons bien plus facilement à un apprentissage dans la joie que dans la contrainte ou le devoir. Vous avez sûrement un jour ou l'autre été conquise par un professeur passionné au point de vous enflammer à votre tour pour une matière que vous détestiez auparavant ou d'avoir un déclic pour une nouvelle discipline. L'implication et l'enthousiasme sont en effet communicatifs. Apprendre et faire chaque chose avec amour apporte de la joie et de l'entrain. L'application laborieuse nécessaire pour l'accomplissement d'une tâche s'efface alors devant le plaisir de sa réalisation. Mes grands-parents paternels répétaient à leurs enfants «si ton contentement dépasse l'effort que tu as fourni pour réaliser ce travail, tu es déjà largement récompensé», phrase qui m'a portée jusqu'ici.

Efforcez-vous de faire ce que vous aimez et d'aimer ce que vous faites pour votre plus grande satisfaction !

Préserver son territoire et respecter celui des autres

Moins de gaspillage

Vivre de façon économique, simple, naturelle et saine, ce sera notre contribution au devenir de notre planète. Ces gestes écologiques ne nous compliquent pas vraiment la vie, il faut seulement y penser.

À la maison, il est bon d'apprendre à utiliser moins d'eau pour se laver. Quand on prend un bain, on consomme 150 litres d'eau, une douche 60 litres et 15 litres seulement si on arrête l'eau pour se savonner. Une chasse d'eau à deux débits permet une utilisation mesurée de l'eau.

Ces économies d'énergie n'entraînent pas de grandes privations et vous permettent d'être en meilleure santé. Par exemple, en baissant le chauffage électrique la nuit dans les chambres entre 16 et 18 °C et en vous emmitouflant sous la couette, vous dormez mieux ! Pensez également à réduire les appareils électriques dans les chambres (téléphone, ordinateur, téléviseur, réveil...), débrancher les appareils en veille, laver la vaisselle et le linge à 40° maximum, utiliser les produits naturels pour désodoriser la maison. D'une façon générale, essayez d'éviter les produits chimiques domestiques et corporels !

Ces bons réflexes s'étendent à de nombreux domaines de notre vie, dans les transports, dans notre jardin, dans le choix de nos aliments, dans notre attitude dans les magasins. Pour ma part, j'utilise mon caddy ou des sacs en papier pour transporter mes provisions et refuse les sacs plastique donnés à la caisse. C'est juste une invite à y réfléchir. Car vous vous en doutez, la liste des initiatives est longue...

Protéger son corps des agressions extérieures

Ces agressions sont présentes partout. Les gaz d'échappements des véhicules, les déchets industriels, mais aussi le bruit, tout ce qui s'impose à notre vue et qui pollue notre sphère personnelle : la laideur de certaines constructions, les papiers gras, les klaxons, la crasse, les crottes de chien sur les trottoirs, certaines affiches publicitaires... Nous n'allons pas jouer les Don Quichotte, la partie est perdue d'avance. J'essaie à ma manière de lutter, en privilégiant par exemple la marche et les transports en commun à la voiture. Quand je marche, je regarde le ciel, les terrasses, je choisis les petites rues, j'admire les belles façades. En métro, je lis, j'écris, je me mets dans ma bulle et je rêve… Car enfin, le silence, la poésie, l'espace que nous nous créons sont une réponse « écologique » à ces agressions extérieures.

À bas la routine !

La vie nous réserve de grandes étapes de crise : le chômage, la retraite, le départ des enfants, la crise de la quarantaine, de la cinquantaine, la disparition d'un proche, la maladie... qui stimulent notre désir de changement. Mais le changement ne s'invente pas, il se construit au jour le jour. Voici quelques suggestions pour vous mettre en marche dès aujourd'hui en modifiant certaines habitudes qui vous bloquent ou qui vous freinent. Améliorer votre quotidien, c'est aussi adopter de nouvelles habitudes et en rejeter certaines. Un pas en entraîne un autre, c'est ainsi que l'on progresse.

Agréables changements d'habitudes

Remplacer une habitude par une autre, plus en accord avec votre façon de vivre, de penser. Cela prend une minute, pas plus. Une manière de prendre la vie différemment qui vous stimulera et vous apprendra à lâcher vos vieilles habitudes. Par exemple, décider de réduire sa consommation de cigarettes, essayer de nouvelles saveurs, troquer un visage sérieux contre un sourire sincère et avenant, se mettre au jardinage...

> **Répétez une habitude positive**
> *« Essayons, au moins trois fois, une chose que nous n'avons jamais faite. Une première fois pour surmonter la peur de la faire. Une deuxième pour apprendre comment la faire. Et une troisième fois pour savoir si nous l'aimons ou pas. »*
> Virgil Thomson

Les émotions négatives altèrent notre enthousiasme et notre goût pour la vie. Alors qu'une habitude positive est rafraîchissante et contagieuse. Dès que nous nous ouvrons au matin avec bonheur – un réveil agréable sous un soleil radieux, un coup de fil amical, une lettre d'un être cher... –, force est de constater que nous communiquons facilement notre bonne humeur et notre sourire à notre entourage. Les bonnes habitudes fleurissent dans chacune de nos vies à la condition de les arroser. « Nous sommes ce que nous faisons tout le temps », affirmait déjà, au IVe siècle avant Jésus-Christ, le philosophe grec Aristote. Pour ma part, j'essaie de maintenir et de répéter chaque jour au moins trois habitudes positives.

Soyons consciente de chaque passage de porte, du réveil au coucher !

Cet exercice, amusant pour certaines d'entre vous, irritant ou fastidieux pour d'autres, mais certainement difficile pour toutes, permet d'aiguiser sa conscience d'être. Une manière d'être consciente de ce que l'on fait du matin au soir à partir de la conscientisation d'un automatisme totalement anodin. Ces quelques centièmes de secondes d'attention répétés tout au long de la journée nous ramènent ainsi à nous et à la conscience de choses plus importantes. Une bonne façon de sortir des actes machinaux et d'être présente à soi.

S'abstenir de quelque chose pendant une journée

Nos habitudes de consommation nous occupent, nous détournant ainsi de nos angoisses. Elles reflètent notre manque d'attention à nous-même. Sachons nous abstenir de temps en temps de consommer un aliment, de nous adonner à une activité ou de ressasser une croyance. Nous cernerons mieux nos dépendances et gagnerons notre liberté. Vous pouvez ainsi décider au choix pour une journée :
– d'arrêter la télévision ;
– de ne pas écouter les infos à la radio ;
– d'arrêter de fumer ;
– d'oublier Internet pendant une journée entière ;
– de supprimer les sucreries entre les repas ;
– de laisser la voiture au garage...
Cette liste n'est évidemment pas exhaustive. Vous n'aurez aucun mal à la compléter. Bon courage !

Philosopher

Nos journées s'ordonnent autour de multiples tâches qui finissent par les occuper complètement. Ces journées nous filent entre les doigts, et nous aimerions tant les retenir pour effectuer tout ce que nous avons à faire ! Si votre rythme vous épuise ou si vous vous sentez entraînée dans cette spirale du « faire », il y a urgence à vous recentrer sur l'essence même de votre existence. Voici une histoire à lire et à méditer !

Un professeur de philosophie arrive dans sa classe de terminale avec de curieux objets qu'il pose sur le bureau. La classe intriguée salue son arrivée par un silence étonné. Le professeur remplit un vase de gros cailloux jusqu'au bord supérieur et demande aux élèves si le vase est rempli. Ils lui répondent «OUI».

Puis le professeur ajoute un sachet de gravillons dans ce même vase, qu'il secoue légèrement afin que ces derniers se glissent dans les espaces laissés par les cailloux. Il demande à nouveau aux élèves si le vase est rempli. Ces derniers intrigués lui disent unanimement «OUI». Enfin, le professeur prend un sachet de sable et se livre à la même expérience jusqu'à ce que tous les grains de sable aient occupé l'espace. Avant même que le professeur les interroge, les élèves confirment en chœur que le vase est plein.

«Eh bien, ce vase symbolise notre vie, dit-il. Les grosses pierres représentent les éléments essentiels de notre existence, nos parents, nos enfants, notre conjoint, notre famille, nos amis, notre fiancé, notre santé... qui seront là, même si nous perdons tout le reste. Les gravillons représentent les choses importantes de notre vie, sans pour autant être essentielles, comme les études, le travail, la maison, la voiture... Et, enfin, les grains de sable peuvent être comparés aux choses qui rendent la vie plus agréable, comme la télévision, les DVD, les rollers, les sorties, l'argent de poche, les vacances...»

Il en va de même avec votre vie. Si les petites choses de votre vie envahissent votre quotidien, il ne vous restera plus de place pour ce qui est essentiel à votre bonheur. Aimez, jouez, parlez avec vos enfants, occupez-vous de vos parents, chouchoutez-vous, chouchoutez vos amis, soyez à l'écoute de votre santé, ressourcez-vous dans la nature... Vous aurez toujours le temps de faire les courses, finir un dossier, réparer un micro-onde en panne...

Soyons d'abord attentive aux grosses pierres, éléments essentiels de notre vie. Le reste n'est que le sable qui se répand entre nos doigts! L'essentiel est là, tout près de nous, à notre portée.

De l'art de se redresser

Dès que vous ressentez l'envie de combattre le repli dû à la fatigue ou au poids des problèmes de la journée, redressez-vous pour retrouver ainsi votre vitalité. Une posture ramassée ou recroquevillée comprime vos poumons et prive votre corps d'oxygène. Chaque jour, pensez à vous grandir par une attitude plus énergique qui, de surcroît, vous donnera de l'élégance. Vous verrez qu'après quelques répétitions de ces exercices, alliés à votre désir de vous grandir, votre allure se transformera.

Un exercice enfantin

1 – Assise ou de préférence debout, le dos bien droit, les épaules basses, les coudes près du corps, les bras repliés et poings serrés à hauteur des épaules, inspirez profondément entre 3 et 10 secondes en ouvrant au maximum votre poitrine et en gonflant votre ventre d'air. Pensez à cette inspiration qui donne de l'amplitude à votre corps.

2 – Puis expirez lentement sur le même temps en arrondissant votre dos, la tête dans le prolongement du corps, la nuque souple, tout en rentrant votre ventre au maximum à l'aide de vos mains.

Améliorez votre posture et renforcez votre dos

·····⟩ **Position de départ :** inspirez et attrapez vos coudes avec vos mains dans votre dos, en serrant les omoplates l'une contre l'autre et en dégageant la poitrine tout en expirant.

·····⟩ **Mouvement :** marchez dans cette position durant 5 minutes. En relâchant, vous sentirez combien votre dos est relâché. Recommencez 3 fois dans la journée. Pensez à inspirer et à expirer tranquillement.

ASSOUPLIR SON COU POUR AVOIR
UN JOLI PORT DE TÊTE

Ces exercices sont à faire avec une extrême douceur au réveil, en sortant de voiture ou après une station prolongée devant l'ordinateur.

⟶ **Position de départ :** assise sur une chaise, votre colonne vertébrale droite, le regard droit devant vous.

⟶ **1er mouvement :** dessinez 10 ovales du bout du nez en déplaçant votre tête d'avant en arrière. Faites-le une dizaine de fois. Puis poussez votre tête vers l'arrière comme si le haut de vos oreilles était tiré derrière vous. Maintenez l'effort une dizaine de secondes environ. Puis relâchez.

Faites-le une dizaine de fois.

⟶ **2e mouvement :** tournez votre tête à droite sans bouger votre buste, puis à gauche une dizaine de fois. Ne tirez pas sur la nuque.

⟶ **3e mouvement :** faites une série de «8» verticaux puis horizontaux du bout du nez.

⟶ **Recommandations :** évitez de cambrer le cou.

Faites des respirations abdominales profondes. Arrêtez l'exercice si vous avez mal.

Les petits bonheurs du quotidien

À chaque jour suffit sa peine

Nous le savons bien : la vie n'est pas un long fleuve tranquille. S'inquiéter du matin au soir ou se raconter des scénarios catastrophes à partir de petits riens entraîne toutes sortes de troubles physiques. Une de mes amies, Dominique, a pour ce type d'inquiétude une réponse simple et efficace qu'elle tient de sa grand-mère : «À chaque jour suffit sa peine ! » Se faire du souci pour l'avenir ou ressasser le passé ne sert à rien. Le passé est révolu et nous n'y pouvons plus rien. Quant à l'avenir, il est incertain, imprévisible, même si nous nous y préparons... Occupons-nous seulement de l'ici et maintenant.

Se réjouir d'être là

C'est-à-dire simplement d'exister. Nos prédispositions de départ, émotionnelles, génétiques, biologiques, sont plus ou moins inégales. Que nous soyons spontanément de bonne humeur ou plutôt encline à la morosité, cet héritage se transforme, car l'optimisme, cela s'apprend. En premier lieu, vivre l'instant présent comme l'unique moment de notre vie et lui donner toute l'importance qu'il mérite constitue un premier pas vers la sérénité.

Savourer les bienfaits que la vie nous offre

Se réjouir des tout petits bonheurs qui se présentent dans chacune de nos journées, c'est le meilleur moyen d'apprendre à être heureux. Les amatrices de superlatifs seront déçues, car ce n'est ni Extraordinaire, ni Fantastique, ni Génial, c'est seulement bon de sentir la chaleur d'un rayon de soleil caresser notre joue, d'étirer lentement et voluptueusement notre corps encore tout endormi sous la couette, de sourire d'un bon mot de notre enfant, de rencontrer au détour d'une rue une amie perdue de vue depuis longtemps... et de manifester notre bien-être par des paroles tendres, humoristiques, des gestes prévenants et mille autres marques d'amour et de satisfaction.

Admirer une œuvre d'art

S'attarder quelques minutes devant un tableau que nous aimons et que nous ne prenons plus le temps de regarder procure de l'émotion et du bonheur ! Les belles choses rendent notre vie plus poétique et plus belle !

Une belle gravure, une sculpture, un élément d'architecture, au détour d'une rue ou d'une galerie d'art, c'est un rayon de soleil dans une journée sérieuse. Ne vous en privez pas, cela rafraîchit l'âme.

Au bord de l'extravagance !

« Faire au moins une fois ce qu'on ne fait jamais. Suivre ne serait-ce qu'un jour, une heure, un autre chemin que celui où le caractère nous a mis. »
Christian Bobin, *Autoportrait au radiateur*

Sortir de la logique !

Extravaguer nous donne de l'élasticité, de la souplesse. Cela libère notre créativité, élargit notre cadre et nous aide à nous détacher du regard des autres.

Installez-vous par exemple à la terrasse d'un café et essayez d'imaginer ce que fait votre voisin de table, sans vous censurer et avec humour : son caractère, sa vie, ses valeurs, ses désirs... Faites la même chose dans une file d'attente au supermarché, au cinéma ou lorsque vous vous ennuyez dans une réunion.

Ou encore, faites des phrases qui n'ont aucun sens : « L'articulation du mélange exponentiel indo-européen a comme finalité supersonique... » Amusez-vous à faire des associations, sans y mettre de logique, en partant d'un mot pour laisser ensuite courir votre imagination. Si je dis « violet », je pense à « hippie », puis à « guitare », « plage », « bain de minuit », et ainsi de suite jusqu'à ce que vous séchiez ou en ayez assez! Cette technique vous permet de débrancher votre mental et d'oxygéner vos pensées! Elle est également utilisée dans les entreprises pour créer des produits ou avoir de nouvelles idées.

Toujours tirée à quatre épingles, autorisez-vous pour une fois à être «moche» un jour de la semaine. Sortir sans maquillage, habillée «comme le roi Dagobert» sans vous préoccuper de l'harmonie des vêtements, des couleurs, de la saison… exactement comme vous le feriez si vous étiez seule sur votre île déserte.

Posez-vous ou demandez à une amie de vous poser une question absurde et répondez-y! Par exemple, dans la peau de quel homme aimeriez-vous vous glisser quelques heures et pourquoi? Ou que feriez-vous en ce moment si vous aviez vingt ans de moins? Imaginez votre vie à 15 000 kilomètres d'ici!

Grâce à ces exercices, vous décrochez du quotidien en échappant au raisonnement et vous stimulez votre hémisphère droit, siège de la créativité.

Savoir prendre des risques

«À maintes reprises, j'ai voulu aborder cette personne, mais celle-ci m'intimide. Aujourd'hui je me lance un défi et l'appelle pour l'inviter à prendre un verre. Surprise! Elle me répond très aimablement et me propose même un déjeuner.»

Combien de fois avez-vous évité d'aborder une personne de peur d'être rejetée? Combien de fois avez-vous annulé ou reporté sans jamais concrétiser un projet par crainte de ne pas réussir?

En réponse à ces craintes qui parfois nous paralysent et nous empêchent d'avancer, voici une pensée de Jorge Luis Borges, écrite à l'âge de 85 ans, qui m'a maintes fois inspirée et poussée à aller de l'avant :

> *«Si je pouvais vivre une nouvelle fois ma vie… Tout d'abord, j'essaierais de commettre plus d'erreurs. Je n'essaierais pas d'être si parfait. Je me relaxerais plus. Je serais plus fou que ce que j'ai été. Je prendrais très peu de choses au sérieux. Je serais moins hygiénique. Je courrais plus de risques, je ferais plus de voyages. Je contemplerais plus souvent les couchers de soleil, je graviais plus de montagnes, je nagerais dans plus de rivières. J'aurais plus de vrais problèmes et moins d'imaginaires. Je fus une de ces personnes qui vécut avec bon sens et pleinement chaque minute de sa*

vie. C'est vrai que j'ai eu des moments de joie. Mais si je pouvais revenir en arrière, j'essaierais d'avoir seulement de bons moments. Car si vous ne le savez pas, c'est de cela qu'est faite la vie. Ne gâchez pas le moment présent. J'étais un de ceux-là qui ne se promenaient jamais sans un thermomètre, une gourde d'eau chaude, un parapluie et un parachute.

Si je pouvais revivre ma vie, je voyagerais plus léger.

Si je pouvais revivre ma vie, je commencerais par marcher pieds nus au début du printemps et je continuerais ainsi jusqu'à la fin de l'automne.

Je ferais plus de tours en calèche, contemplerais plus de levers de soleil et jouerais avec plus d'enfants. Si j'avais une autre fois la vie devant moi. Mais j'ai déjà 85 ans et je sais que je vais mourir. »

Converser avec des inconnus

Au supermarché, dans la rue, dans votre immeuble, au café, chez le boulanger, à la poste...

Adresser la parole à des personnes que l'on ne connaît pas apprend à communiquer plus facilement. Cela demande du courage, mais la contrepartie est gratifiante : vous élargissez votre cercle de communication, vous trouvez de plus en plus facilement les mots appropriés à ces situations de la vie courante. Et si certaines de vos initiatives échouent, vous prendrez, de contact en contact, de l'assurance et vous vous sentirez plus libre dans vos relations.

Aiguiser sa curiosité

Prenez quelques minutes par jour pour sortir de votre sphère habituelle. Ouvrez-vous à de nouveaux sujets, en vous informant sur des domaines que vous ignorez ou qui vous semblent éloignés de vos préoccupations habituelles, par la lecture d'un quotidien que vous ne connaissez pas, d'un nouveau magazine, par l'écoute d'une nouvelle station de radio, par une conversation avec un inconnu ou avec un étranger...

Voir les choses autrement

Voici un exercice ludique pour dédramatiser et prendre du recul sur une difficulté relationnelle.

Un jeu de quilles ou de Lego peut vous aider à mettre à plat un problème que vous rencontrez dans votre vie personnelle ou professionnelle. Les pièces du jeu représentent les personnes avec lesquelles vous êtes en difficulté et vous-même. Déplacez-les selon votre envie du moment. Essayez de comprendre ce qui se passe et quelle(s) solution(s) vous entrevoyez dans ce jeu. Soyez attentive à chaque détail. Si une quille tombe, laissez-la rouler, essayez de comprendre ce qui se passe pour cette quille et pour les autres, puis mettez-les en perspective avec votre situation. On est très souvent surprise – grâce à la distance que procure le jeu – de trouver une nouvelle solution, évidente et simple à son problème.

Développer sa mémoire

De retour à la maison en fin de journée, la tête pleine, les bras chargés, je tourne la clé dans la serrure et tout s'accélère : mes enfants m'interpellent tous en même temps, le chien s'agrippe à mon sac en me faisant mille fêtes, le téléphone sonne... et les choses s'enchaînent ainsi jusqu'au dîner. Le lendemain, sur le point de quitter la maison, je cherche machinalement mes clés dans mon sac et dans la coupelle où j'ai l'habitude de les poser. Elles n'y sont pas. Après avoir inspecté mon sac plusieurs fois sans succès, j'essaie de me remémorer les différentes étapes de ma soirée. Impossible de m'en souvenir.

Vous avez sûrement vécu cette situation au moins une fois. Inutile d'invoquer les défaillances de votre mémoire : vous avez tout simplement manqué d'attention. Si je fais plusieurs choses en même temps, je ne suis plus dans l'acte et je perds la trace de ce que je fais. Et d'ailleurs, au moment même où j'écris ces quelques lignes, je suis alertée par une odeur de brocolis brûlés provenant de la cuisine. Concentrée sur mon ordinateur, j'avais totalement « oublié » les plats que j'avais mis en route pour le dîner.

Heureusement, il existe de nombreux exercices pour entraîner votre attention. En voici trois, proposés par Marie-Adèle Claisse, sophrologue, qui, en calmant le stress et l'anxiété, favorisent une meilleure concentration.

Stopper les idées qui agitent notre esprit

Cet exercice se pratique en 2 minutes à peine et s'avère efficace au cours de la journée, en particulier lorsque vous vous sentez stressée.

1 – De préférence en position assise, inspirez en fermant les yeux.

2 – Expirez en relâchant les épaules. Et derrière vos yeux clos, laissez arriver l'image d'une fleur – une rose, une marguerite... – au niveau du troisième œil (chakra situé entre les deux sourcils). Gardez cette image quelques secondes. Respirez tranquillement.

3 – Sur une inspiration, ouvrez les yeux.

4 – Expirez.

Vous vous sentez alors plus détendue et prête à repartir dans votre activité.

À genoux cinq fois par jour!

Prenez la position que les musulmans adoptent lorsqu'ils font leur prière. À genoux, inspirez en levant les mains en l'air et expirez en posant les paumes des mains et le front sur le sol. Le ventre est rentré. Parce que la tête est à l'envers, votre regard change et se met ainsi en zone alpha, c'est-à-dire entre veille et sommeil. Pendant quelques secondes, vous décrochez de votre pensée et de votre vision des choses. Cet exercice – à pratiquer cinq fois par jour – est très stimulant. Quand on se relève, on se sent ressourcée.

Adopter la position du cocher de fiacre

Cet exercice de relaxation favorise la concentration, étroitement liée à la mémoire. Assise, le dos droit, les jambes légèrement écartées et les coudes en appui sur vos genoux, inspirez. Puis, en expirant, laissez tomber vos avant-bras devant vous et relâchez complètement votre tête en fermant les yeux. Vous sentez que vos bras et votre tête sont lourds.

Restez 1 à 2 minutes dans cette position et relevez votre buste progressivement en ouvrant les yeux. C'est ainsi que les cochers se détendaient en attendant leurs clients.

Entraîner sa mémoire quotidiennement

Évitons de tout noter et exerçons-nous ainsi à retenir la liste de nos courses, quitte à oublier certaines choses. Créons nos repères mnémotechniques afin de retenir certains codes, les dates d'anniversaire de nos proches, le nom des personnes que nous croisons. Associons par exemple un nom à une fleur, à un objet ou à un lieu qu'il nous évoque. Essayons d'enregistrer mentalement les numéros de téléphone et les adresses que nous utilisons le plus sans avoir recours systématiquement à notre répertoire.

Faire le point

Solitude et silence

« Quand je me suis mis quelquefois à considérer les diverses agitations des hommes et les périls et les peines où ils s'exposent, dans la cour, dans la guerre, d'où naissent tant de querelles, de passions, d'entreprises hardies et souvent mauvaises, etc., j'ai dit souvent que tout le malheur des hommes vient d'une seule chose, qui est de ne savoir pas demeurer en repos, dans une chambre. »
Pascal, *Pensées*

On se donne toujours de bonnes raisons pour faire au détriment d'être. Or, s'occuper des enfants, travailler une heure de plus, se rajouter des obligations sur un agenda, se distraire, épuise… Nous croyons trouver le bonheur en voyageant loin, en participant à de nombreuses activités, en travaillant douze heures par jour, alors que notre bonheur se trouve aussi à l'écart de l'agitation – dans le calme et la solitude de notre foyer.

La voix de notre cœur et de nos aspirations profondes, si fluette, a besoin de ce repli pour s'exprimer. La lecture des *Pensées* de Blaise Pascal, en classe de première, m'a donné envie de me retirer de temps en temps dans ma chambre pour réfléchir et mieux ressentir cette plénitude d'exister.

Se recueillir

Se recentrer quelques minutes sur ce que l'on perçoit ici et maintenant est une excellente protection contre le stress.

Le recueillement aide en effet à prendre conscience des pensées, des émotions et des sensations physiques qui sont en vous en cet instant choisi et de calmer le tourbillon des pensées qui vous agitent. Pendant quelques minutes, vous serez attentive à vous, à votre respiration, dans un complet relâchement du corps. Véritable oasis dans vos journées hyperactives, ce retrait vous aidera à relativiser, à faire face aux difficultés que vous rencontrez et surtout à donner du sens aux activités du quotidien.

Vous pouvez choisir pour cela un lieu tranquille, agréable, où vous ne serez pas dérangée, ou au contraire décider de vous extraire d'un contexte agité pour revenir à l'intérieur de vous. Car l'on peut « méditer » n'importe où et n'importe quand, dans le métro, au bureau, dans une file d'attente, entre deux rendez-vous, en cuisinant… On peut aussi entrer dans une église ou dans une chapelle, même si l'on n'est pas croyante. Car ces lieux de silence, de prière et de beauté architecturale inspirent le retour sur soi et l'apaisement.

Une introspection originale

S'interroger sur soi est l'œuvre de toute une vie. Nous avons chacune notre façon de cheminer dans cette quête du mystère de notre être et peut-être déjà trouvé les moyens les plus appropriés à notre exploration. Avoir à sa disposition un exercice simple pour faire un point sur soi, ça dépanne !

Je vous livre ici un exercice, inspiré de William Schulz, expérimenté dans le cadre d'un atelier de coaching à l'université Paris-VIII où je me suis formée.

Par le jeu de réponses spontanées et brèves à des questions existentielles, il s'agit de se recentrer en quelques secondes sur l'essentiel, c'est-à-dire sur soi et sur sa vie. Ce regard en profondeur peut être augmenté par le partage spontané et bienveillant avec une ou plusieurs personnes de son entourage. Il faut répondre par écrit et spontanément aux six questions suivantes, dans un lieu tranquille, hors de toute agitation, en privilégiant les réponses courtes. Ou bien, interroger votre interlocuteur qui vous questionnera à son tour.

1re question : qu'est-ce qui est important dans ma vie actuelle ?
2e question : que s'est-il passé d'essentiel pour moi l'année dernière ?
3e question : si je disais toute la vérité, qu'adviendrait-il ?
4e question : si je ne me dévalorisais pas, que se passerait-il ?
5e question : si je prenais soin de moi, qu'arriverait-il ?
6e question : qui suis-je ?

Il est intéressant de conserver vos réponses, afin de les comparer avec vos nouvelles conclusions quelques semaines plus tard.

Profiter des beaux jours

Programme jambes légères !

Nous ne bougeons pas assez et le plus souvent, par facilité, nous prenons la voiture ou l'ascenseur. Résultat : notre circulation veineuse est difficile. Ou bien, dès que le thermomètre grimpe, les jambes ont tendance à gonfler. Ce symptôme, particulièrement désagréable, peut avoir de nombreuses causes. La première précaution est de consulter un médecin spécialiste de la circulation. Mais si les troubles circulatoires sont bénins, des moyens permettent d'améliorer la contention naturelle :
– les bas de contention, hélas difficilement supportables en été à cause de la chaleur ;
– les exercices pour se muscler, car si les muscles sont mous, ils ne peuvent pas faire leur travail de soutien nécessaire à une bonne circulation sanguine.

LES EXERCICES QUI FONT CIRCULER !

Flexion-extension des jambes sur le bassin, une posture de hatha-yoga

Apparemment simple, cette posture nécessite une grande rigueur dans son élaboration, si l'on souhaite profiter de ses effets bénéfiques sur la santé.

····> **Position de départ :** allongée sur le dos, étirez bien les jambes sans qu'il y ait la moindre pliure. Laissez reposer les bras légèrement écartés, étendus sans raideur, le long du corps. Faites 3 cycles de respiration abdominale lentement et sans forcer. Le nombril monte et descend.

····> **Mouvement :** à l'issue de la troisième expiration, levez les jambes jusqu'à la verticale et maintenez-les par les mains accrochées à la face postérieure du genou. Maintenez la position 1 minute environ et repliez les jambes sur votre poitrine. Relaxez-vous en posant les mains sur vos genoux.

⇝ **Répétition** : 3 cycles de flexion-extension.

⇝ **Recommandations** : plaquez la colonne vertébrale au sol, détendez bien les épaules.

Faites la table renversée

⇝ **Position de départ** : reprenez la position de départ de la posture précédente : couchée sur le dos. Étirez bien les jambes de sorte qu'il n'y ait aucune pliure aux genoux. Laissez reposer vos bras, sans raideur, le long du corps. Faites 2 à 3 cycles de respiration.

⇝ **Posture** : en accomplissant la dernière expiration, montez vos deux jambes et vos deux bras à la verticale. Essayez de les maintenir droits, pieds et mains pointés vers vous de telle sorte qu'ils forment un angle droit avec la jambe ou le bras, sinon légèrement fléchis, pourvu que les épaules et le sacrum restent en contact avec le sol. Le dos doit être plat comme une table. Maintenez la position 1 minute environ en respirant tranquillement. Puis revenez à votre position de départ. À renouveler 2 ou 3 fois.

⇝ **Recommandations** : posture à faire dans l'abandon, sans forcer, la colonne vertébrale plaquée au sol, le menton légèrement rentré vers le sternum pour étirer en douceur les cervicales.

Bras et jambes se maintiennent sans effort. Relâchez bien le dos, tout en restant immobile comme une table.

EXERCICES POUR JAMBES PLUS LÉGÈRES

Le matin

⇝ Marchez sur la pointe des pieds. Vous renforcez ainsi les muscles des mollets qui, lorsqu'ils sont développés, gainent les veines internes et freinent leur dilatation.

⇝ Debout, les jambes écartées, pieds tournés vers l'extérieur, pliez les jambes puis tendez-les, 10 fois de suite, en respirant profondément. Une bonne façon d'activer la circulation.

Le soir

····⟶ Allongée sur le dos, levez les jambes sans creuser les reins. Pédalez une dizaine de fois. Reposez-vous quelques secondes, puis recommencez au moins 5 fois.

····⟶ Dans la même position, croisez les jambes en ciseaux une dizaine de fois. Reposez-vous puis recommencez au moins 5 fois.

AMUSEZ-VOUS AVEC UN BALLON

····⟶ **Position de départ :** allongée sur le sol, placez un ballon de large diamètre entre les genoux. Plaquez votre bassin au sol et inspirez.

····⟶ **Mouvement :** expirez en compressant au maximum le ballon, tout en maintenant le bassin au sol.

····⟶ **Répétition :** faites 3 séries de 20 compressions.

Des recettes qui allègent

Un jet d'eau froide selon la méthode de l'abbé Kneipp

Faites courir le jet à environ 10 centimètres de votre peau, du gros orteil à l'intérieur des genoux. Insistez sur le creux derrière l'articulation, riche en ganglions lymphatiques. Puis redescendez le jet par le bord extérieur jusqu'à la cheville. Recommencez en allant stimuler la rotule. Ce soin soulage les jambes lourdes et a un effet secondaire sur la zone du thorax, des abdominaux et sur les organes urinaires. Je pratique ce soin chaque matin pour son effet énergétique très stimulant. Cela réveille !

Un bain de pied conseillé par l'ayurvéda

Alternez des bains de pieds dans l'eau chaude (environ 3 minutes) et froide (1 minute).

Badigeonner ses jambes aux myrtilles

Les myrtilles fraîches luttent efficacement contre la fragilité des vaisseaux. Achetez-en sur le marché ou cueillez-en lors de vos balades en montagne. Mettez les fruits dans une casserole, recouvrez-les entièrement d'eau froide et portez-les à petite ébullition environ une dizaine de minutes. Conservez le jus et laissez tiédir. Puis badigeonnez vos jambes lourdes avec la solution et laissez agir une dizaine de minutes.

Une tisane de vigne rouge, d'hamamélis, de cyprès et de fragon petit houx

Faites bouillir de l'eau et laissez infuser ce mélange de plantes pendant une dizaine de minutes. Cette recette, proposée par Robert Masson, améliore la circulation sanguine.

Et si vous avez du temps...

Marchez, faites de la randonnée, du footing, de la bicyclette, l'une des meilleures activités pour les jambes.
Évitez les sports qui demandent des courses rapides soudainement interrompues comme le tennis, le squash, le badminton.

Garder le ventre plat

Les grands classiques
Battements de jambes
·····⟩ **Position de départ :** allongée, le dos plaqué au sol, les épaules détendues, le menton légèrement rentré.

·····⟩ **Mouvement :** mettez vos jambes à la perpendiculaire et effectuez de grands battements d'avant en arrière en inspirant et en expirant au rythme du changement de jambe. Faites une vingtaine de battements. Regroupez les pieds et les jambes au-dessus du corps, puis reposez les pieds au sol.

En avant les ciseaux !
·····⟩ **Position de départ :** allongée, le dos plaqué au sol, les épaules détendues, le menton légèrement rentré.

·····⟩ **Mouvement :** mettez les jambes à la perpendiculaire, tendez-les. Faites des petits battements verticaux et horizontaux. Vos jambes se croisent et se décroisent une vingtaine de fois à l'horizontale et à la verticale. Essayez de descendre le plus bas possible, sans cambrer votre colonne vertébrale. Pensez à respirer tranquillement au rythme de vos mouvements.

10 minutes d'abdos par jour

Reportez-vous aux exercices proposés dans le chapitre 2.
Choisissez dans la rubrique « Pour garder le ventre plat » les exercices les plus adaptés à vos besoins. Et surtout faites-les 10 minutes d'affilée et chaque jour pour obtenir des résultats. N'oubliez pas de commencer par quelques respirations et de vous étirer après l'effort.
Allongez-vous sur le dos, dans la position « du cadavre », détendez bien tous vos muscles et, avant de vous lever, étirez-vous comme un chat.

FAIRE LE CRABE, SELON LA MÉTHODE PILATES

Plus connue pour son utilisation avec des machines dans des studios équipés, cette technique de gymnastique douce peut également se pratiquer chez soi. Les exercices de «Pilates», très efficaces pour travailler la posture, la respiration, la force et la souplesse tonifient les muscles profonds et notamment les abdominaux. Joseph Pilates a créé une quarantaine d'exercices et d'étirements. Tout comme le yoga, cette méthode permet de retrouver de l'énergie. L'exercice du crabe s'accompagnant d'une respiration profonde permet le recentrage sur soi et le travail en douceur des abdominaux.

····> **Position de départ** : assise en tailleur, posez vos mains autour des chevilles, le dos droit et la tête comme suspendue par un fil provenant du plafond, le regard fixé devant vous.

····> **Mouvement** : inspirez et, en rassemblant vos jambes en boule, roulez en arrière sur le dos, le nombril rentré et le ventre creusé.

Expirez pour vous redresser à nouveau vers l'avant, en position assise, le dos droit et les jambes croisées, légèrement décollées du sol. Utilisez vos muscles abdominaux pour tenir en équilibre. Puis inspirez en allongeant le plus possible la colonne vertébrale et le cou. Expirez en posant les jambes au sol.

····> **Répétition** : une dizaine de fois l'exercice complet.

MALAXAGE DU VENTRE POUR RETROUVER LA LIGNE

Rien de tel qu'un bon malaxage pour chasser la cellulite. À effectuer en position assise ou couchée pour plus de confort. Pratiquez ce massage de préférence sans huile ni crème, avec des ongles courts de façon que le contact s'effectue avec la pulpe des doigts.

·····⟩ **1ʳᵉ étape :** faites 2 à 3 respirations profondes abdominales.

·····⟩ **2ᵉ étape :** malaxez lentement et profondément votre ventre avec toute la surface de vos deux mains, comme si vous pétrissiez de la pâte à modeler (1 minute environ).

·····⟩ **3ᵉ étape :** faites un pincé-roulé de bas en haut (en remontant vers le cœur) en saisissant la peau des deux mains entre le pouce et les doigts et la faisant rouler entre les doigts. Insistez sur les points particulièrement sensibles ou douloureux pour faire disparaître l'amas cellulitique.

·····⟩ **Contre-indications :** pendant la digestion, période de grossesse et postnatale, douleur et maladie du ventre...

À la moindre apparition de cellulite sur le ventre, je pratique ce massage.

Et cela marche !

Astuces pour dégonfler

Si vous avez tendance à avoir le ventre gonflé, prenez à jeun, le matin, 1 cuillerée à café d'huile d'olive vierge – de préférence biologique – suivie d'un grand verre d'eau. Ou faites tremper des pruneaux dans de l'eau. Et prenez chaque soir 4 à 5 pruneaux accompagnés d'un yaourt maigre et de 1 cuillerée à café de son.

Craquez pour des recettes légères et délicieuses

Crème de courgettes au cumin

Enlevez la peau des courgettes (environ 1 kilogramme pour 2 à 3 personnes) et coupez-les en rondelles. Faites-les cuire environ 10 minutes à la vapeur. En début de cuisson, ajoutez un peu de cumin sur les légumes et une pincée de sel dans l'eau. Lorsqu'elles sont cuites, passez-les au mixeur. Vous pouvez varier les herbes aromatiques en utilisant, à la place du cumin, du basilic, de l'estragon ou du persil. Aux inconditionnelles de l'assaisonnement, je propose d'ajouter une pointe d'huile d'olive ou une noix de beurre. Cependant, nature, cette soupe extrêmement légère est vraiment exquise.

Potage aux orties blanches

Faites cuire à feu doux 1 gros oignon émincé dans un peu d'huile d'olive ou 1 cuillerée à soupe d'eau. Ajoutez 1 botte d'orties hachées. Laissez cuire en remuant pendant environ 5 minutes. Mouillez avec une petite quantité d'eau salée. Faites cuire 1/4 d'heure. Puis mixez et servez en ajoutant 1 cuillerée à café de crème fraîche ou de beurre.

Profitez des qualités nutritionnelles formidables de l'ortie blanche qui est un puissant stimulant général, dépuratif et régénérateur du sang. Il est recommandé de mettre des gants pour laver et émincer les orties afin d'éviter les piqûres.

Bien savourer son tonus

L'été, période propice à l'activité
*« La paresse en été est comme l'excès
d'activité en hiver. Elle nuit
à notre énergie. »*
Adage médical chinois

Pour les Chinois, l'été est une saison rattachée au grand yang, au Sud, au feu, à la plénitude de l'énergie. Au Moyen Âge, les paysans vivaient au rythme des saisons et du soleil. La journée de travail durait du lever au coucher du soleil, courte l'hiver et beaucoup plus longue l'été, car les champs réclamaient plus de soins. Profitant de l'énergie du soleil, de sa lumière et de sa chaleur, ils travaillaient dur en été et se reposaient en hiver. Ce mode de vie s'est perpétué en Occident jusqu'à l'ère industrielle. Depuis, nos rythmes d'activité se sont inversés par rapport aux saisons, au point que la plupart d'entre nous prennent leurs vacances en été et redoublent d'activité en hiver. Profitons donc de notre tonus estival car le soleil est un puissant élément de revitalisation. Son énergie recharge notre organisme, en agissant sur le système nerveux, endocrinien et glandulaire. Sa chaleur stimule notre circulation sanguine, ce qui active la résistance musculaire et l'élimination des toxines.

Un grand nettoyage de printemps dans la maison nous prépare à recevoir les nouvelles énergies de l'été

De même que le ménage peut être considéré comme un exercice agréable pour redonner de l'énergie à ce qui stagne, un nettoyage en profondeur n'est pas non plus une corvée.

Tout particulièrement au printemps, période où la nature redémarre, j'aime redonner vie à ces objets qui m'entourent et sur lesquels je passe superficiellement en temps normal. Nettoyer à fond un appareil électrique, un ordinateur, une étagère de bibliothèque, cela prend peu de temps, quelques minutes à peine. Et si vous le faites avec amour, en nettoyant chaque interstice, mue par ce désir de le rendre plus propre, plus beau, plus fonctionnel, vous en tirez une agréable sensation de bien-être. Faire les recoins relance l'énergie de la maison et la vôtre. Vous verrez, c'est très stimulant !

Au printemps et en été, prendre un bain de rosée

Marchez, courez dans votre jardin, pieds nus au lever du jour. Pour une fois, avancez votre réveil et prenez ce bain de pied original dans l'herbe fraîche du matin. L'effet est oxygénant et rafraîchissant. Vous allez vous sentir respirer par les pieds !

Précautions à prendre : couvrez-vous bien le haut du corps, afin de ne pas prendre froid.

Remèdes pour petits maux de l'été

Rafraîchissez-vous sans vous refroidir

– Buvez de l'eau fraîche ou tiède et rejoignez un endroit frais pour faire baisser la température de votre corps.
– Buvez du thé vert à la menthe, une infusion de chèvrefeuille ou une infusion combinant menthe, verveine et camomille.

Calmer les coups de soleil

En cas de coups de soleil ou de légères brûlures, appliquez immédiatement quelques gouttes d'une huile composée de 50 millilitres d'huile de massage, 80 gouttes d'huile essentielle de lavande et 20 gouttes d'huile essentielle de géranium rosat. (Recette du Dr Valnet.)

Un cataplasme de courge crue

Passez à la centrifugeuse de la pulpe de courge crue et appliquez-la sur le coup de soleil. Ce cataplasme est vraiment apaisant.

Un cataplasme de légumes crus

Râpez des carottes, des oignons ou des pommes de terre et ajoutez un filet d'huile d'olive. À appliquer pendant 10 minutes.

Éloigner les moustiques

Mettre sur les bras et les jambes 1 à 2 gouttes d'huile essentielle pure de citronnelle. Ou bien mélanger les huiles essentielles de géranium et de citronnelle à parts égales et diluer dans de l'huile de jojoba ou d'amande douce. Utiliser par petites touches en prévention sur les bras et les jambes ou directement sur les piqûres.

Passer l'hiver en douceur

Prête pour le changement de saison !

Une tisane tonique pour renforcer vos défenses naturelles

Rien de tel pour se requinquer à chaque changement de saison. Prendre chaque matin, pendant quelques jours, une tisane de menthe poivrée, de thym ou de romarin dans laquelle on ajoute une goutte d'huile essentielle de cannelle. Utilisez de préférence du miel pour sucrer votre tisane.

Purifier l'air

À l'approche des grands froids, diffusez dans votre appartement, votre bureau, la chambre des enfants… des vapeurs d'eucalyptus, pour éloigner les refroidissements.

Combattre le rhume

En buvant un bouillon d'orge perlé. Cette soupe est très efficace pour calmer le rhume.

Une friction antifroid

Massez le haut du dos et de la poitrine avec un mélange de 50 millilitres d'huile de massage, 30 gouttes d'huile essentielle de pin et 20 gouttes d'huile essentielle de thym. Ce massage est excellent pour éviter ou atténuer les refroidissements.

Une tisane de romarin et de thym pour dégager les voies respiratoires

Laissez infuser 1 cuillerée à café de romarin ou de thym dans 1 tasse d'eau bouillante pendant 10 minutes. Ajoutez 1 cuillerée à café de miel si vous voulez sucrer votre tisane. Cette infusion a également une véritable action tonique générale sur l'organisme.

Une « mini monodiète » aux raisins frais à l'automne

Le raisin est diurétique grâce à sa richesse en potassium et à sa pauvreté en sodium. Il est aussi laxatif. Ces deux propriétés aideront votre organisme à se débarrasser des déchets qui l'encombrent et à passer le cap de l'automne en douceur. Déchargé de ce travail d'éboueur, votre corps aura plus de facilité à gérer le changement de saison.

Mais cela se prépare. Pendant la semaine qui précède, mangez plus légèrement en diminuant progressivement les quantités de protéines animales jusqu'à les supprimer la veille.

Puis, pendant une journée, mangez exclusivement du raisin, sans accompagnement, sans limite et sans oublier de boire de l'eau.

Consommez de préférence du raisin biologique, sinon, afin d'enlever tout résidu chimique, rincez-le soigneusement juste avant de le manger.

Les bons réflexes pour garder la forme

Hiberner

En hiver, la période d'obscurité s'allonge. Nous sécrétons, semble-t-il, plus de mélatonine (hormone), ce qui modifie notre rythme biologique, se traduisant par une baisse de tonus entre novembre et mars. Imitez les animaux ou, comme au début du siècle dernier, profitez-en pour réduire votre activité, allonger vos nuits, privilégier la sieste afin de reposer votre organisme et vous préparer à aborder le printemps en toute vitalité.

Manger du gingembre frais ou confit

Il améliore la circulation sanguine et réchauffe ainsi rapidement votre corps et les extrémités mal irriguées.

Se prélasser dans un bain chaud (38-39 °C)

Pour un bain stimulant, ajoutez 20 gouttes d'huile essentielle de romarin et, pour vous régénérer, la même quantité d'huile essentielle de pin.

S'éclairez-vous sainement

Nous savons que notre santé dépend de la qualité de l'eau que nous buvons, de l'air que nous respirons, de notre alimentation. En hiver, les jours raccourcissent et le temps que nous passons à la lumière naturelle, c'est-à-dire à celle du soleil, diminue fortement.

Nous passons plus de temps à l'intérieur de nos maisons, bureaux, magasins... exposées à la lumière artificielle. Des recherches ont prouvé que les couleurs du spectre lumineux influencent le bon fonctionnement de notre corps. Profiter de la lumière du soleil – à la condition de ne pas en abuser –, c'est bon pour la respiration, la tension artérielle, le rythme cardiaque... et pour notre moral !

Pour lutter contre l'effet «jours trop courts», on trouve aujourd'hui sur le marché des éclairages sains à spectre complet diffusant une lumière très proche de la lumière du soleil.

Entretenir ses abdos pour se sentir bien

Fatigue, manque d'entrain, envie de grignoter... L'hiver souvent nous déprime.

Pour éviter de prendre des kilos superflus et se sentir bien, il est bon de cultiver sa forme régulièrement. Cet exercice fait travailler tous les groupes de muscles abdominaux (grands droits, obliques et transversaux). Idéal pour entrer sans forcer dans nos petites robes printanières dès la fin de l'hiver.

····⟩ **Position de départ :** allongée, les genoux repliés et écartés de la largeur des hanches, les pieds à plat, inspirez.

····⟩ **Mouvement :** ramenez une jambe vers vous, le pied à la hauteur de l'autre genou. Glissez le bras opposé tendu à l'intérieur du genou en serrant le périnée. Poussez sur votre genou avec votre autre bras pendant que la cuisse résiste. Cette opposition contracte le transverse et les obliques, petits et grands.

Expirez pendant l'effort.

Conservez cette position 2 à 3 minutes. Puis renouvelez cet exercice 4 à 5 fois. Faites la même chose avec l'autre jambe.

La soupe de légumes «maison» réhabilitée

Jusqu'en 1950, la soupe occupait une place prépondérante au repas du soir. Ce repas pouvait même se limiter à la soupe chez certaines personnes. La soupe de légumes frais est un mets de base qui préserve la plupart des ingrédients qui la composent. Constituée de tous les légumes d'hiver que vous aimez, mixée ou non, elle réduit l'acidité de l'organisme et vous apporte tout ce qu'il faut pour affronter les rigueurs hivernales.

Remerciements

Ma première pensée est pour mon amie Nat Mourier qui m'a présenté Suzel Messerschmitt des éditions Flammarion, sans qui ce livre n'aurait jamais pu se faire. Je les remercie toutes les deux. J'adresse également toute ma gratitude à mon éditrice, Valérie de Sahb, pour m'avoir encouragée dans la rédaction de cet ouvrage et permis de le réaliser en un temps record. Sept mois, c'est si court pour donner forme à un cheminement personnel, familial et professionnel d'une vingtaine d'années ! J'ai accepté ce pari car elle m'a fait confiance.

Des praticiens réputés dans leur domaine ont partagé avec moi leurs expériences, leurs connaissances et leur temps, et je leur rends hommage. Jean-Pierre Clemenceau, préparateur physique à domicile apprécié par les stars, m'a spontanément donné son avis sur bon nombre d'exercices de gymnastique proposés dans ce livre. Robert Masson, naturopathe et directeur du Centre européen de naturopathie appliquée, m'a transmis avec passion ses excellents conseils en matière d'alimentation. Pierre Portocarrero, professeur d'arts martiaux, m'a fait partager avec une grande simplicité son érudition sur les philosophies et médecines orientales. Yves Réquéna, médecin, spécialiste en qi gong et en acupuncture, m'a donné son avis bienveillant sur certains exercices et massages qi gong.
Jean-François De Righetti, réflexologue et professeur de yoga, m'a initiée avec une grande pédagogie à cette discipline et aidée à choisir les postures les plus adaptées à la thématique de mon ouvrage. David Tran, réflexologue reconnu pour ses « mains magiques », professeur à la faculté de médecines naturelles et président de l'Institut franco-chinois de réflexologie, m'a apporté de précieux conseils en diététique et gymnastique énergétique chinoise.

Je remercie aussi pour leur stimulante coopération et leurs apports dans les domaines explorés pour la réalisation de ce livre : Jean-Louis Badet, professeur d'arts martiaux, Georges Charles, enseignant de pratiques chinoises de santé, Marie-Adèle Claisse, sophrologue, Nathalie Crocetti, masseuse, Serge Fitz, géobiologue, Rashmi Gandhi, naturopathe et expert en massage ayurvédique pour bébés, Delphine L'Huillier, rédactrice en chef de *Génération Tao*, Dominique

Lionnet, directrice de la rédaction de *Votre Beauté*, Christine Lorence et Laure Pouliquen, de l'association Amessi, Kiran Vyas, fondateur du centre de yoga et d'ayurvéda Tapovan en France. Je témoigne ma reconnaissance à Fanny Gimborg dont l'appui a compté tout au long de cette élaboration.

Je remercie tout particulièrement André Mameli, mon compagnon, Géraldine et Clémence Fichard, mes filles, pour leur soutien affectueux, leurs encouragements et leurs suggestions pendant l'accomplissement de cet ouvrage, des prémices jusqu'à la pré-lecture. Car cette formidable aventure fut aussi un travail quotidien sans relâche, fait de lectures, de recherches, d'investigations, de rencontres, d'expérimentations nouvelles et variées en auto-massages, techniques respiratoires, exercices énergétiques ou de gymnastique... et d'écriture, en même temps qu'un processus de transformation. J'ai, en effet, intégré dans ma vie de tous les jours mille et une attentions, gestes ou attitudes qui m'ont progressivement amenée à vivre chaque moment avec plus d'intensité. J'ai changé tout au long de ces sept mois et mes proches aussi !

Mes ami(e)s, Catherine Boissi, Martine Chavrier, Sylviane Decourt, Laurence Dreyfus-Schmidt, Catherine Estourelle, Marie-Claude Fabre, Astrig Fister, Caroline Guillemin, Dominique Prost et Emmanuel Sohier ont accepté d'effectuer une première lecture de mon livre avant que je ne le remette à l'éditeur. Ils m'ont fait part de leurs opinions, suggestions, idées, critiques, questions et commentaires. Chaque avis m'a intéressée et aidée à achever cet ouvrage. Je les remercie de leur contribution tant inestimable qu'amicale et leur adresse ma reconnaissance. Certains d'entre eux ont déjà adopté de nouvelles habitudes et j'en suis ravie !

Bibliographie

Aliments santé, aliments danger, Sélection du Reader's Digest, 1997.

ANDRÉ Christophe, *Vivre heureux,* Odile Jacob, 2003.

BOREL Marie et DUFOUR Anne, *Trois Cents Conseils de bien-être,* éditions Hachette, 2004.

BLOUNT Trevor et McKENZIE Eleanor, *La Méthode Pilates,* éditions Flammarion, 2003.

BUZAN Tony et Barry, *Mind Map,* éditions de l'Organisation, 2003.

CARLSON Richard, *Ne vous noyez pas dans un verre d'eau,* J'ai lu, « Bien-Être », 2003.

CHARLES Georges, *La Table du dragon,* éditions du Chariot d'or, 1996.

CHEN You-wa (Dr), *Pratiques du massage chinois,* Robert Laffont, 2003.

CHEVALIER Jean et GHEERBRANT Alain, *Dictionnaire des symboles,* Robert Laffont/Jupiter, 1997.

CLEMENCEAU Jean-Pierre, *Belle et mince après Bébé,* éditions Flammarion, 2006.

DAVROU Yves (Dr), *La Sophrologie facile,* éditions Marabout, 1998.

DELALANDE Églantine, *Les Merveilleux Remèdes de ma grand-mère,* éditions Anagramme, 2005.

FITZ Serge, *Bien vivre sa maison,* éditions Quintessence, 1998.

HIRSCHI Gertrud, *Les Mudras, le yoga au bout des doigts,* Le Courrier du Livre, 2000.

JACQUEMART Pierre et ELKEFI Saïda, *Yoga thérapeutique,* Vigot, 1999.

JANIN-DEVILLARS Luce, *Changer sa vie,* éditions Pocket, 2003.

LACOSTE Sophie, *Trucs et astuces de beauté,* éditions Marabout, 2001.

Larousse gastronomique, 1938.

MASUNAGA Shizotu, *Zen, exercices visualisés,* éditions Guy Trédaniel, 1990.

McKENZIE Eleanor, *Le Reiki,* éditions Flammarion, 2002.

MÉNÉ Daniel (Dr), *La Médecine chinoise,* Jacques Grancher, « Médecines alternatives », 1990.

MILLEVILLE Claude (de), *Le Secret des rêves,* éditions Flammarion, 2001.

NAMIKOSHI Toru, *Le Livre complet de la thérapie shiatsu,* éditions Guy Trédaniel, 2004.

PALLARDY Pierre, *Et si ça venait du ventre,* éditions Pocket, 2003.

PUGET Henry (Dr) et TEYSSOT Régine, *Les Secrets de beauté d'autrefois,* éditions Minerva, 2002.

RÉQUÉNA Yves, *La Gymnastique des gens heureux,* éditions Guy Trédaniel, 2003.

RÉQUÉNA Yves, *À la découverte du qi gong,* éditions Guy Trédaniel, 1999.

ROBEY Dan, *Le Pouvoir des habitudes positives,* Michel Lafon, 2004.

ROLAND Paul, *La Méditation,* éditions Flammarion, 2001.

ROUSSELET-BLANC Josette, *Mieux-être en 1 000 questions,* éditions Flammarion, 1994.

ROYER Arlette, *Le Savoir-vivre d'aujourd'hui,* Larousse, 2003.

SALOMÉ Jacques et GALLAND Sylvie, *Si je m'écoutais, je m'entendrais,* éditions de l'Homme, 2003.

SERVAN-SCHREIBER David, *Guérir,* Robert Laffont, 2003.

TOO Lillian, *Le Feng Shui pour la santé,* éditions Guy Trédaniel, 1999.

TOURLES Stéphanie, *365 Ways to Energize Mind, Body & Soul,* Storey Publishing, 2000.

VALNET Jean (Dr), *La Phytothérapie. Traitement des maladies par les plantes,* Le Livre de poche, 1986.

VAN LYSEBETH André, *J'apprends le yoga,* J'ai lu, « Bien-Être », 2004.

VYAS Kiran, *L'Ayurvéda au quotidien,* éditions Recto verseau, 1996.

WAGNER Paul, *ABC du Reiki*, éditions Grancher, 1996.
WALTER Dawna, *Lancez-vous*, éditions Gründ, 2004.

Magazines *Psychologies, Notre Temps, Management, Esprit de femme, Bien dans ma vie, Votre Beauté, Génération Tao, Muze.*

Index

S

T

V

Y

Notes personnelles

Notes personnelles

Notes personnelles

Notes personnelles

Notes personnelles

Notes personnelles

Notes personnelles

Notes personnelles

Notes personnelles

Notes personnelles

Notes personnelles

Notes personnelles

Notes personnelles

Notes personnelles

Notes personnelles

Notes personnelles

Notes personnelles

Imprimé en Allemagne par GGP Media GmbH, Pößneck
pour le compte des éditions Marabout
Dépôt légal : août 2009
ISBN : 978-2-501-06121-6
4050571/01